# Das Mind-Power-System

Durch mentale Stärke und positives Denken zum Erfolg.

So baust du in 6 Schritten ein unerschütterliches Gewinner-Mindset auf.

PATRICK DRECHSLER

# Inhaltsverzeichnis

# Einleitung

Dein Vorgesetzter bei der Arbeit hat dich kritisiert. Ihm gefiel dein Entwurf nicht, den du abgegeben hast. Noch dazu hast du den Entwurf am allerletzten Tag, dem Fälligkeitstermin, abgegeben. „Zeitlich ziemlich eng kalkuliert, hm?", provoziert der Vorgesetzte mit einem schelmischen Grinsen auf dem Gesicht. Du weißt, dass er irgendetwas gegen dich hat. *Ist doch egal, wann du den Entwurf abgibst, solange es pünktlich ist!* Aber er reitet darauf herum. Dann kritisiert er deine Arbeit besonders penibel. Oder hat er etwa recht? Kritik konntest du schließlich nie gut ab, hast sie immer persönlich genommen. Vom Ende dieses grausamen Arbeitstages an über die komplette Dauer deines Feierabends bis in die nächsten Tage bist du verärgert. Es brodelt in dir, du bist verunsichert, du hast keine Lust auf die Arbeit – alles wegen der Kritik eines Vorgesetzten, der dich nicht leiden kann.

Wie wäre es mit einem anderen Beispiel? Anstrengende Vorgesetzte und mangelnde Kritikfähigkeit sind nur zwei von vielen Problemen, die auf diesem Planeten auftreten. Ein anderes ist dein innerer Schweinehund: Hast du es schon mal erlebt, wie du etwas unbedingt wolltest, aber dir einfach die Disziplin dafür gefehlt hat? Regelmäßig musstest du diese eine Sache, die dir so sehr am Herzen lag, aufschieben. Irgendwann verpuffte dein Traum in der Luft. Du bist in deinem Hamsterrad geblieben und hier sitzt du nun in der Hoffnung, dass dir dieses Buch hilft, in Zukunft all deine Träume und Herzensangelegenheiten konsequent in die Tat umzusetzen. Denn u. a. das bedeutet mentale Stärke: beständig an den eigenen Vorhaben dranzubleiben.

Mentale Stärke bedeutet auch, resilient zu sein. Mit Resilienz ist deine Widerstandsfähigkeit gegenüber schlechten Erfahrungen und Erlebnissen gemeint. Dazu gehört einerseits der richtige Umgang mit Vorgesetzten, die es auf dich abgesehen haben. Andererseits umfasst die Resilienz andere Aspekte, wie z. B. deine Fähigkeit, mit Verlusten umzugehen. Verluste können sich in finanzieller Form äußern, aber ebenso darin, dass du einen geliebten Menschen verlierst. Zu weinen und zu trauern ist in diesen Fällen bei weitem nicht das Problem, es ist vielmehr heilend. Was ein Problem darstellt, ist der Verlust jeglicher Motivation, Lebenslust und Zuversicht durch schwere Schicksalsschläge. Mentale Stärke hilft dabei, wieder mit beiden Beinen ins Leben zu finden.

Mentale Stärke lässt sich, wie du siehst, auf viele Weisen beschreiben und mit Beispielen belegen. In jedem Menschenleben kommt es dazu, dass wir unsere mentale Stärke auf verschiedenen Wegen unter Beweis stellen müssen – um zu überleben, um weiterzuleben und/oder um besser zu leben. Wir kommen nicht umhin, uns den Herausforderungen, die das Leben bereitet, zu stellen. Früher oder später verlieren wir alle einen geliebten Menschen, haben Probleme in der Familie oder zweifeln an uns selbst. Es ist unausweichlich.

Das Prinzip der Unausweichlichkeit ist der Grund, weshalb du diesen Ratgeber liest. Die Herausforderungen im Leben werden kommen oder sind bei dir sogar schon gekommen. Am besten kannst du mit Herausforderungen umgehen, wenn du Hilfe erhältst. Dieses Buch ist deine Hilfe für Herausforderungen in allen Lebenslagen, um mentale Stärke zu entwickeln und von ihr Gebrauch zu machen. Es hilft dir einerseits bei einzelnen Problemen, indem es verschiedene Beispiele vorstellt und Lösungen nennt. Andererseits – genau dies ist der rote Faden im Buch und der Grund, weswegen du es Schritt für Schritt von Anfang bis Ende lesen solltest – ist es eine ganzheitliche Anleitung, um generell mentale

Stärke zu entwickeln. Das erste Kapitel vermittelt dir wertvolles Knowhow über die verschiedenen Faktoren mentaler Stärke und den Weg dorthin. Danach kommt das **Mind-Power-System (MPS)**, eine 6 Schritte-Anleitung, die dich für verschiedenste Situationen mit mentaler Stärke ausstattet. Folge daher der Struktur dieses Buches und werde mithilfe der Inhalte ganzheitlich glücklicher, erfolgreicher, krisensicherer und optimistischer.

# Mental stark: Was es dir bringt, was es bedeutet und wie du es schaffst

Die Vorteile und Mehrwerte mentaler Stärke, die in der Einleitung angeschnitten wurden, sind nur ein kleiner Teil dessen, was du als mental starke Person bewerkstelligen kannst. Mentale Stärke steht in Verbindung mit Widerstandskraft: Wenn eine Person trotz Krisen immer wieder zum Erfolg zurückfindet, wird sie als stark angesehen.

Besonders interessant ist es dabei, nicht nur die Fälle berühmter erfolgreicher Menschen zu betrachten. Bekannte Persönlichkeiten aus dem öffentlichen Leben wie Sylvester Stallone (war pleite und vor der Obdachlosigkeit), Thomas Hitzlsperger (outete sich als einer der ersten Fußballer als homosexuell) und Coco Chanel (arbeitete sich aus dem Kloster zur weltbekannten Modeschöpferin durch) gelten als Paradebeispiele für mentale Stärke. Aber abgesehen von diesen berühmten Beispielen gibt es überall um dich herum Menschen mit mentaler Stärke. Ideale Beispiele sind Personen in harten Berufen, die schlecht bezahlt werden. Trotz des mauen Gehalts können einige dieser Personen ihre Familie versorgen und ihr Leben außerhalb der Arbeit sogar noch genießen – ist das nicht bewundernswert? Oder aber wir nehmen Teenager als Beispiel, die gerade in der Pubertät stecken und sich Sorgen um ein schwerkrankes Elternteil machen, aber ihre Abschlussprüfungen in der Mittelstufe trotzdem mit Bravour hinbekommen – nötigt das einem, in Anbetracht des zarten Alters einer jugendlichen Person, nicht höchste Anerkennung ab? Ein weiteres Beispiel sind alleinerziehende Elternteile, die nach dem Tod ihres Ehepartners Witwer sind, doppelt bis dreifach so viel Arbeit wie andere Elternteile verrichten und nebenbei ihrem Kind erklären müssen, wieso es nicht Vater *und* Mutter gibt – ist dies nicht ebenfalls der Inbegriff mentaler Stärke?

Mentale Stärke ist, wie diese Beispiele und zahlreiche weitere zeigen, nicht nur eine Frage des Erfolgs in Form von Bekanntheit, Ruhm und Medienwirksamkeit. Mentale Stärke spiegelt sich täglich bei einer Vielzahl an Durchschnittsbürgern wider. Dieses Kapitel zeigt dir die vielen Facetten mentaler Stärke. Außerdem erklärt es dir, wieso dir mentale Stärke in diversen Lebenssituationen hilft.

# Mentale Stärke bringt dir Fortschritt und Widerstandskraft!

Fortschritt spielt für den Sinn des Lebens eine entscheidende Rolle. Denn der Mensch möchte sich entwickeln und seine Persönlichkeit entfalten. So hat es bereits Maslow in seiner Bedürfnispyramide erfasst, indem er das Bedürfnis nach Selbstverwirklichung als einziges Wachstumsbedürfnis eingestuft hat: Es wächst mit dem Ausmaß der Befriedigung und nimmt nicht ab. Demnach gilt: Wir Menschen wollen immer mehr!

Jede Person hat eine eigene Auffassung davon, was Weiterentwicklung, Persönlichkeitsentwicklung und „mehr wollen" bedeuten. Aber jede Person wird auf diesem Weg Herausforderungen begegnen. Je nachdem, ob man eine Familie gründet, sich voll dem Sport, seinem Unternehmen oder anderen Dingen widmet, kommen früher oder später verschiedenste Schicksalsschläge oder Probleme auf. Die Entwicklung mentaler Stärke hilft dabei, sowohl in negativ

Patrick Drechsler

als auch positiv wahrgenommenen Zeiten Fortschritte zu machen. Zudem wird die Widerstandskraft ausgeprägter, was wichtig ist, um an Herausforderungen nicht zu zerbrechen, sondern so weiterzumachen, wie man es sich für sein Leben vorgenommen hat.

## Am Anfang steht die Herausforderung

Herausforderungen, Hindernisse und Schicksalsschläge im Leben lassen sich mit negativen und positiven Emotionen verknüpfen. „Positive Emotionen bei Schicksalsschlägen? Auf dem Papier ist das leicht gesagt, aber im Leben wohl kaum!", wirst du dir vielleicht denken. Da hast du fürs Erste recht. Wer von einer schweren Erkrankung erfährt oder ein Familienmitglied verliert, wird definitiv nicht die positiven Seiten dessen beleuchten. Dieses Verhalten ist menschlich. Die negativen Emotionen sind da und müssen angenommen werden. Auch, wenn es für betroffene Personen in ihrer schicksalhaften Situation schwer vorstellbar sein mag, lässt sich aus diesen Situationen dennoch Stärke gewinnen.

Es existieren Personen, die das Leben an sich vorbeiziehen ließen, ohne es auszukosten und die vielen Möglichkeiten, die sie hatten, wahrzunehmen. Als sie die Diagnose bekamen, sie hätten nur noch wenige Monate zu leben, waren sie zuerst schockiert, aber rafften sich innerhalb einiger Tage oder Wochen dazu auf, das Leben zu nutzen – im Angesicht des Todes kam die Erkenntnis, leben zu wollen. Ferner gibt es Fälle, in denen der Verlust von Menschen ungeahnte Kräfte in trauernden Personen freisetzte. Plötzlich krempelten sie ihr ganzes Leben um, um beispielsweise als alleinerziehender Vater und Witwer dem Kind all die Liebe zukommen zu lassen, die die Mutter auf dem Sterbebett sich für ihr Kind gewünscht hatte; Rabenväter wurden zu Vorzeigevätern. Schlechte Schüler wurden ihrer verstorbenen Väter zuliebe zu Vorzeigeschülern und machten Karriere. Der Hirnforscher Gerhard Roth nennt dies die „Teachable Moments":

Momente, die den Menschen emotional derart tief berühren, dass sie ihn von einem Moment auf den anderen zu einer Veränderung der bisherigen Verhaltensweisen animieren.

---

### Beispiel

Christiano Ronaldo ist mehrfacher Weltfußballer. Er hat mit seinen Vereinen zahlreiche nationale und internationale Titel gewonnen. Am Anfang seiner Karriere war er ein großes Talent und sein Vater stolz auf ihn. Doch der Vater starb früh und erlebte den Aufstieg seines Sohnes zum Weltfußballer und mehrfachen Titelträger nicht mit. In den letzten Jahren verwies Christiano Ronaldo in den sozialen Medien und Interviews immer wieder darauf, dass er seinen gesamten Erfolg seinem Vater widmet. Er brach im Fernsehen mehrmals in Tränen aus. Auch jetzt noch, in einem für Fußballer hohen Alter von 34 Jahren (Stand: November 2020), ist Christiano Ronaldo einer der besten seiner Zunft. Er schießt Tore um Tore und ist ein absoluter Führungsspieler. Wie bis ins hohe Fußballeralter Ehrgeiz, Disziplin und ein leistungsfähiger Körper aufrechterhalten werden konnten, lässt sich womöglich nur unter Einbezug der Bedeutung des Vaters von Christiano Ronaldo vollständig klären. Es scheint ein berühmtes Beispiel für einen „Teachable Moment" zu sein.

---

Menschen, die diese „Teachable Moments" durchlaufen, sind nicht zwingend mental stark. Manchmal verdrängen sie durch die neu gewonnene Disziplin und Handlungsbereitschaft die Trauer, was für die Psyche nicht gesund ist. Aber dies ist ein anderes Thema. Fürs Erste sei festgestellt, dass aus Schicksalsschlägen gestärkte Persönlichkeiten hervortreten können, die mentale Stärke aufweisen.

Eine andere Situation ergibt sich bei beruflichen oder privaten Herausforderungen, die man sich mehr oder weniger selbst auferlegt. Beispiele sind Umzüge und daraus resultierende neue Lebenssituationen, anstehende Projekte bei der Arbeit oder Diäten zur Gewichtsabnahme: Im Gegensatz zu extern gelenkten, nicht beeinflussbaren Schicksalsschlägen sind berufliche und private Herausforderungen teilweise selbst verursacht. Man sieht in der Herausforderung etwas oder sogar viel Positives, weswegen der Entschluss fällt, sich der Herausforderung zu stellen. Diese privaten Herausforderungen sehen im Vergleich zu den zuvor erwähnten Schicksalsschlägen harmloser aus, sollten aber nicht unterschätzt werden. Beispielsweise können die Auswirkungen eines Umzugs auf die Psyche von Kindern erheblich sein.

## Beispiel

In einer Studie analysierten Forscher um Roger Webb von der University of Manchester die Daten von Kindern in Dänemark, die zwischen 1971 und 1997 geboren worden waren. Im Fokus standen die Auswirkungen der Umzüge auf die Kinder, sobald sie im Erwachsenenalter waren. Je häufiger in der Kindheitszeit Umzüge stattfanden, umso höher fielen die Risiken für Suizidversuche, psychische Erkrankungen, Drogenabhängigkeit und Gewalttaten als Erwachsene aus. Die finanziellen und sozialen Verhältnisse der Eltern spielten bei alledem scheinbar keine Rolle. Alle Kinder waren gleichermaßen vom Risiko betroffen. Ähnliche Erkenntnisse machte der Psychologe Shigehiro Oishi, dessen Ausführungen im *Journal of Personality and Social Psychology* (2010, Band 98) veröffentlicht wurden. Als Ursachen für die Probleme durch Umzüge bei Kindern gelten u. a. die radikalen Einschnitte im Vergleich zum bisherigen Lebensverlauf. Die sozialen Kontakte fallen weg und es müssen neue geknüpft werden. Die Gegend ist neu.

Eventuell sind die eigenen Hobbies nicht mehr wie früher praktizierbar. Passend dazu zeigte sich in den Studien, dass junge Kinder mit Umzügen am besten klarkamen. Kritisch wurde es bei den Kindern erst ab Beginn der Pubertät.

Schon ein Umzug kann für Personen also eine große Herausforderung mit potenziell starken Auswirkungen auf das künftige Leben sein. Neben diesen beiden Erhebungen zu negativen Auswirkungen von Umzügen lässt sich feststellen, dass es bei Kindern auch anders geht: Einige gehen aus dem Umzug gestärkt hervor. Sie lernen, sich in neuen Umfeldern schnell zurechtzufinden. Diese und weitere Lehren aus dem Umzug werden auf das spätere Leben übertragen.

Herausforderungen, Hindernisse, Schicksalsschläge und andere Ereignisse im Leben stellen uns Menschen also auf verschiedenste Weisen auf die Probe. Unsere Aufgabe im Rahmen dieser Probe ist es, uns möglichst schnell den Anforderungen zu stellen und eine Umgangsweise zu finden. Wenn dies gelingt, haben wir die Chance, an den Herausforderungen zu wachsen. Dadurch, dass wir nicht zusammenbrechen und aufgeben, sondern die Herausforderung bewältigen, stellen wir uns mentale Stärke unter Beweis. Je häufiger dies in verschiedenen Lebenssituationen passiert, umso mehr stärken wir uns generell, sodass wir immer schneller und immer mehr Herausforderungen trotzen können.

Was wäre das Leben ohne diese Herausforderungen und Schicksalsschläge? Ein solches Leben wäre zum einen unmöglich, zum anderen würde ein gewisser Reiz fehlen. Jeder Mensch auf diesem Planeten verliert irgendwann geliebte Menschen. Und wenn er sie nicht verliert, weil er keine geliebten Menschen hat, umgibt ihn kein soziales Umfeld, was das Leben weniger lebenswert macht. Ein Leben ohne

Freunde und Familie? Trostlos, ohne Unterstützung, ohne Beistand, einsam. Auch die kleineren Herausforderungen im Leben sind unvermeidbar: Früher oder später muss jede Person für sich selbst sorgen, was bereits mit Arbeit, Kochen, Ordnung halten und allem Drum und Dran eine Herausforderung ist. Wer aufgrund einer Krankheit nicht für sich selbst sorgen kann, hat die Krankheit als Herausforderung.

Gehen wir trotz all diesen Erkenntnissen einmal davon aus, es gäbe ein Leben ohne Herausforderungen und Schicksalsschläge: Wie könnten wir dann noch unsere mentale Stärke unter Beweis stellen? Wir müssten es zwar nicht, aber wäre das Leben dann noch lebenswert? Dies ist einfach ein Denkanstoß für dich, der unbeantwortet bleibt. Du kannst dir gern deine eigenen Gedanken dazu machen.

Tatsache ist, dass es immer Herausforderungen und Schicksalsschläge im Leben gibt. Sie fungieren als Gradmesser für mentale Stärke. Wer mentale Stärke unter Beweis stellt, entwickelt sich weiter und härtet sich für die weiteren Abschnitte des Lebens ab. Die gewonnenen Erfahrungen können mit anderen Menschen geteilt werden, was die Vorteile mentaler Stärke steigert. Es lässt sich zwischen zwei Arten von mentaler Stärke unterscheiden: offensiv und defensiv. Offensiv ist sie, wenn wir uns Ziele setzen und diese erreichen möchten. Es sind Herausforderungen, die wir freiwillig annehmen. Die defensive mentale Stärke ist die Resilienz; die Fähigkeit, sich nach Verlusten und Niederlagen wieder fangen zu können und auf unerwartete Herausforderungen zu reagieren.

### Resilienz: Du verspürst Sicherheit in schwierigen Phasen

Unter Resilienz versteht man die psychische Widerstandsfähigkeit in kritischen Situationen und Krisen. Resiliente Menschen legen einen besseren Umgang mit den Herausforderungen an den Tag als nicht resiliente Menschen. Falls sie die Krise lösen oder das Leben infolge der Krise auf eine neue Weise fortsetzen und dabei nach vorne schauen, gelten Menschen als resilient. Voraussetzung ist dabei, dass sie sich nicht unterkriegen lassen und vergleichsweise schnell die Lösung der Krise angehen, ohne sich von negativen Emotionen allzu lange aufhalten zu lassen.

Die Grundsteine für Resilienz werden im Kindesalter gelegt. Max Janson verweist in seinem Werk *Resilienz trainieren* (2020) auf folgende Faktoren in der Kindheit, die eine ausgeprägte Resilienz im Erwachsenenalter begünstigen würden:

➢ Kinder haben den Mut und die Offenheit, über ihre Emotionen zu sprechen
➢ Schulleistungen sind besser als erwartet
➢ intaktes Familienleben
➢ Eltern der Kinder sind berufstätig

Armut oder Reichtum würden Janson zufolge eine untergeordnete Rolle spielen. Wenn, dann sei von Kindern aus wohlhabenden Haushalten eine geringere Resilienz im Erwachsenenalter zu erwarten, weil sie von ihren Eltern „überbehütet" werden könnten; ein Faktor, der der Resilienz im Wege steht. Passend hierzu gibt es eine Studie von der US-amerikanischen Entwicklungspsychologin Emmy Werner, die den Beginn der Resilienzforschung einleitete. Im Rahmen ihrer Studie beobachtete sie die Entwicklung von 700 Kindern auf Hawaii, die in ärmlichen Verhältnissen aufwuchsen. Auffällig war, dass trotz der schwierigen Bedingungen (Gewalt, Drogenmissbrauch und niedriger Bildungsstand der Eltern ein Drittel der Kinder zu sozial integrierten und berufstätigen Erwachsenen heranwuchs. Was fast alle diese Kinder gemeinsam hatten, war das Vorhandensein mindestens einer vertrauten Bezugsperson in ihrem Umfeld, die auf ihre Bedürfnisse einging.

Ob zur Kindheitszeit oder im Erwachsenenalter: Resilienz lässt sich trainieren. Dabei kommt dem Umfeld eine wichtige Rolle zu, denn es vermag zu lehren, zu stärken und zu stützen. Andersrum kann es natürlich negativen Einfluss ausüben. Du erfährst in diesem Ratgeber zum richtigen Zeitpunkt, wie du dir ein resilientes Umfeld aufbaust. Fakt ist bis hierhin, dass Resilienz in schwierigen Lebensphasen wichtig ist: Werde widerstandsfähig und du wirst trotz Schicksalsschlägen die Motivation zum Leben finden!

### Beispiel

Der künftige US-amerikanische Präsident Joe Biden (Stand: November 2020) hat einen beeindruckenden Lebenslauf. Seinem politischen Erfolg zum Trotz, blieb er stets bodenständig. Angeblich sucht er seit seinem Jugendalter immer noch dasselbe Diner in seiner Heimatstadt auf, in dem er sich mit „normalen" – sprich nicht prominenten und nicht in der Politik tätigen oder berühmten – Menschen unterhält und ihnen die Hand schüttelt. Seit rund 50 Jahren ist er als Senator tätig. Er hat sich einen Namen als Mann für Hintertür-Deals gemacht. Die eine oder andere Besserung für Geringverdiener und Minderheiten konnte er auf diesem Wege erwirken. Was seine bodenständige, erfolgreiche und menschennahe Vita in ein noch beeindruckenderes Licht stellt, ist vor allem die Tatsache, dass er in seinem Leben bereits mehrere Schicksalsschläge zu verkraften hatte. Seine erste Frau und seine Tochter starben bei einem Verkehrs unfall. Er selbst blieb allein zurück. Mit seiner zweiten Frau gründete er eine neue Familie. Einer seiner beiden Söhne aus zweiter Ehe starb im Krieg. Wie konnte dieser Mann immer wieder aufstehen und so vorbildlich mit Trumps Attacke im TV-Duell umgehen, als dieser Bidens im Krieg verstorbenen Sohn als „Versager" bezeichnete? Er antwor tete sachlich, ohne in Tränen auszubrechen oder Trump zu beschimpfen.

Der Mann ist resilient! Deswegen hat er immer einen Sinn im Leben gefunden und wurde selbst im hohen Alter zunehmend erfolgreich.

## Du wächst; vielleicht sogar über dich hinaus

Resilienz ist eine defensive Form der mentalen Stärke, weil auf Lebenskrisen reagiert wird, die nicht selbst gemacht sind, sondern von außen kommen. Neben der Resilienz gibt es eine offensive Form mentaler Stärke, die vielschichtig ist: Ehrgeiz, Disziplin, Konsequenz, Entschlossenheit und andere Faktoren, die dazu beitragen, dass man sich selbst Ziele und Herausforderungen setzt. Wer sich selbst etwas vornimmt und es trotz aller Widrigkeiten umsetzen möchte, bereitet sich seine eigenen Herausforderungen. Dies tut die jeweilige Person, weil sie sich davon mehr Vorteile als Nachteile erhofft.

Ein Beispiel hierfür wäre die Anmeldung bei einem Verein, Klavierunterricht oder eine Diät – eine Person erfährt keinen Schicksalsschlag, sondern trifft für sich die Entscheidung, sich einer Herausforderung zu stellen. Ein Motiv dafür kann sein, mit dem Klavierunterricht den Ehrgeiz zu entwickeln, Neues zu erlernen und die eigenen Fähigkeiten zu erweitern. Das mögliche Motiv für eine Diät ist folgende Selbsterkenntnis, die ebenfalls von mentaler Stärke zeugt: Die Person hat erkannt, dass sie ein Problem mit ihrem Körpergewicht hat, das das Wohlbefinden erheblich mindert und für die Gesundheit gefährlich werden kann. Aufgrund dieser Einsicht fasst sie den Entschluss, eine Diät zu machen.

Diese offensiven Formen der mentalen Stärke zeugen von Lebenslust: Das Leben hält Möglichkeiten und Perspektiven bereit, die eine Person trotz der Herausforderungen umzusetzen bereit ist. Je ausgeprägter die mentale Stärke, umso länger hält die Person an der selbst gesetzten Herausforderung fest. Sie zieht Lehren aus den Missgeschicken oder Niederlagen, verbessert sich und setzt mit besseren Voraussetzungen neu an. Personen, die diese Art der mentalen Stärke haben, stehen neuen Entwicklungen und Ambitionen offen gegenüber. Sie wachsen durch den Eigenantrieb oftmals über sich hinaus, weil der Wille stärker ist als die potenziellen Hürden.

## Mentale Stärke im zwischenmenschlichen Umgang

Mentale Stärke macht sich im zwischenmenschlichen Umgang daran bemerkbar, wie man auf Angriffe reagiert oder anderen Personen bei deren Herausforderungen und Schicksalsschlägen beisteht. Die Beispiel-Box über Joe Biden hat anhand des verbalen Angriffs von Trump auf Bidens im Krieg gefallenen Sohn gezeigt, wie sich mental starke Personen beispielsweise äußern: Sie lassen sich nicht von ihren Emotionen kontrollieren und messen verbalen Angriffen oft kaum oder gar keine Bedeutung bei. Mental stark zu sein, basiert dabei auch auf Erfahrungen. Diese sind in Gesprächen vorteilhaft, wenn es darum geht, sich zu wehren oder anderen zu helfen.

In der Position des Helfers hast du bei mentaler Stärke die Gelegenheit, anderen Personen beizustehen, indem du dich in sie hineinversetzt. Entweder warst du bereits einmal in der gleichen fordernden Situation wie die Person, der du zu helfen gedenkst, oder du kannst aufgrund ähnlicher sonstiger Erfahrungen auf das Befinden der Person Rückschlüsse ziehen. In letzterem Fall liegt eine sogenannte Transferleistung vor: Du transferierst deine Erfahrungen auf andere Anwendungsbereiche. Dadurch, dass du mental stark bist, bist du imstande, Personen authentische Ratschläge zu geben und hast eine hohe Glaubwürdigkeit. Einer Person, die selbst Krisen gemeistert hat, wird tendenziell mehr geglaubt als Menschen ohne diese Erfahrungen. Dadurch, dass du anderen Personen hilfst, sicherst du dir mit hoher Wahrscheinlichkeit sogar selbst Hilfe für die Zukunft. Denn wer weiß: Vielleicht wirst du irgendwann auf die Hilfe genau dieser Person angewiesen sein?

Gehen wir von der Form zwischenmenschlichen Umgangs aus, bei der du von anderen Personen verbal angegriffen wirst: Diese Personen können dich beleidigen, dir Steine in den Weg legen oder andere böse Absichten hegen. Entweder sind die Personen speziell dir gegenüber böse gesinnt oder aber sie legen generell gegenüber anderen Menschen ein solches Verhalten an den Tag. Mit mentaler Stärke bist du zuallererst imstande, dich nicht von deinen Überzeugungen abbringen zu lassen. Erinnerst du dich noch an die Einleitung, in der davon die Rede war, dass dein Vorgesetzter dich zu Unrecht kritisiert und du die Motivation verlierst? Solche Fälle gibt es. Einige Personen gehen damit mental stark um, indem sie erkennen, dass sich keine objektive Meinung hinter der Kritik verbirgt. Sie halten an ihren Überzeugungen fest und messen der Kritik keine Bedeutung bei, solange sie nicht objektiv ist: Die Freude an der Arbeit und dem sonstigen Alltag bleibt bestehen, der Feierabend wird nie von dem anstrengenden Vorgesetzten getrübt. Mentale Stärke bei der Verteidigung gegen verbale Attacken ist also ein Stück weit Glaubensfrage: Glaube ich an meine Fähigkeiten? Bin ich überzeugt davon, dass ich es schaffe, dieser Aufgabe gerecht zu werden? Glaube ich so sehr an den eingeschlagenen Weg, dass ich mit maximaler Entschlossenheit „mein Ding durchziehen" werde? Mit mentaler Stärke kehrt dieser Glauben ein.

## Was bedeutet es, mental stark zu sein? Was brauchst du dafür?

Mentale Stärke im Allgemeinen ist eine Art „Cocktail aus Charaktereigenschaften und situationsbedingtem Handeln". Es gibt nicht DIE EINE mentale Stärke, sondern verschiedene Arten in Bezug auf verschiedene Herausforderungen des Lebens. Beispielsweise gibt es Menschen, die nur in Bezug auf einzelne Aktivitäten mental stark sind. Eine Person, die regelmäßig ins Fitnessstudio geht, immer die Gewichtsscheiben wegräumt und alles sauber hinterlässt, kann daheim den größten Saustall haben.

Die feinen Unterschiede und vielen Details mentaler Stärke geben dir bereits eine erste Richtung vor, wie du mentale Stärke trainieren kannst. Gelingt es dir z. B. bei der Arbeit oder im Sport Ordnung zu halten, aber daheim nicht, dann hast du eine situationsbedingte mentale Stärke. Ein Ansatz zum Training bzw. zur Besserung ist, die mentale Stärke auf weitere Situationen deines Lebens zu übertragen. Schritt für Schritt adaptierst du deine Stärken aus der Arbeit oder dem Sport auf dein Zuhause. Wie so etwas gelingen kann, wird noch Thema dieses Ratgebers sein.

Möchtest du in möglichst vielen Situationen mental stark sein, dann bietet es sich an, das Verhalten in den entsprechenden Situationen zu reflektieren und persönliche Defizite auszumachen. Anschließend arbeitest du an Lösungen. Der erste Schritt, also das nächste Kapitel, hilft dir bei der Bestandsaufnahme. Zusätzlich hierzu zahlt es sich aus, wenn du an einzelnen Charaktereigenschaften arbeitest. Denn es gibt Konstellationen aus Charaktereigenschaften, die mentale Stärke begünstigen. Um diesen „Cocktail aus Charaktereigenschaften" zu trainieren, werden …

I. die Charaktereigenschaften in Abstimmung auf das eigene Leben ausgewählt.
II. wichtige universelle Charaktereigenschaften trainiert.

Ein paar Beispiele für Punkt 1: Eine Person, die Vorträge vor Publikum hält oder im Profisport spielt, wird auf Nervenstärke angewiesen sein. Nervosität und Lampenfieber sind fehl am Platz. Daher werden Nerven wie Drahtseile trainiert. Personen in Kreativbereichen sollten eher Geduld an den

Tag legen; zudem erfordert es mentale Stärke, dem Kunden recht zu geben und dessen Wünsche umzusetzen, auch wenn sie nicht den eigenen Vorstellungen von Kreativität entsprechen. Lehrer sind auf eine Resistenz gegen Schülermobbing angewiesen. Außerdem brauchen sie ebenfalls Geduld.

Anmerkungen zum zweiten Punkt: Es existieren universelle Charaktereigenschaften bzw. Stärken, die bei allen Personen zu einer höheren mentalen Stärke führen. „Universell" bedeutet, dass sie in jeder Lebenssituation und bei jeder Person in schwierigen Lebensphasen und bei der Bewältigung von Herausforderungen hilfreich sind. Fünf wichtige Charaktereigenschaften sind Motivation, Disziplin, Selbstvertrauen, Lösungsorientierung und Netzwerkorientierung.

## Motivation

*„Motivation bezeichnet Prozesse, bei denen bestimmte Motive aktiviert und in Handlungen umgesetzt werden. Dadurch erhält Verhalten eine Richtung auf ein Ziel, eine Intensitätsstärke und eine Ablaufform."*
(Stangl, 2020).

Die Intensitätsstärke ist ein wichtiges Stichwort: Je intensiver das Verhalten ist, umso größer fällt die Motivation aus. Je größer die Motivation, umso eher werden die eigenen Ziele verwirklicht. Wenn du etwas willst, performst du überzeugender. Je mehr du es aus dir selbst heraus willst, umso stärker ist die Motivation. Es wird zwischen extrinsischer und intrinsischer Motivation unterschieden: Extrinsische Motivation liegt vor, wenn du von einer anderen Person motiviert wirst oder die Motivation von einem anderen äußeren Faktor abhängt. Da die Motivation nicht von dir ausgeht, ist ein Abbruch wahrscheinlicher und die mentale Stärke gegen Widerstände geringer. Intrinsische Motivation liegt vor, wenn du dich selbst motivierst, weil du die jeweilige Sache willst.

Damit die Motivation hoch ausfällt, solltest du …

➢ wissen, was du – wirklich und in deinem tiefsten Inneren – willst.
➢ selbst einen Nutzen aus der jeweiligen Sache ziehen.
➢ priorisieren, damit du in erster Linie und mit größtem Fokus dem nachgehst, was dir persönlich wichtig ist.

*Die Schritte 1 und 3 in diesem Buch liefern
dir diesbezüglich Hilfestellung.*

## Disziplin

*„Disziplin kommt aus dem Lateinischen und steht für Unterweisung, Zucht und Ordnung. Als Disziplin bezeichnet man das Befolgen von Vorschriften oder Regeln. Selbstbeherrschung wird als Selbstdisziplin bezeichnet.“*
(vgl. Brockhaus 1988, S. 553); (Stangl, 2020)

Wenn Disziplin das Befolgen von Vorschriften und Regeln bedeutet, wer stellt dann die Vorschriften und Regeln auf? Im Idealfall du selbst, womit die Verknüpfung zum vorigen Abschnitt hergestellt ist: Eigens auferlegte Ziele und Wünsche bergen die größte Motivation, was sich wiederum auf die Disziplin positiv auswirkt. Denn die Motivation beeinflusst die Disziplin und andersherum genauso, wenngleich beides zwei verschiedene Dinge sind. Das eine sind Motive, die begründen (Motivation). Das andere sind Regeln, die auch ohne Grund zu befolgen sind, weil sie z. B. auf gesellschaftlichen Normen gründen oder für das eigene Leben Grundvoraussetzung sind (Disziplin).

Da Disziplin nichts mit Motiven zu tun haben muss, wird sie häufig mit Aktivitäten in Verbindung gebracht, die einem nicht zusagen. Dann handelt es sich bei Disziplin um die Fähigkeit, etwas, das dir nicht zusagt, dennoch zu tun. Diese Fähigkeit wird, der Erfahrung nach, oftmals überschätzt, aber ist in den ersten Schritten und immer mal wieder zwischendurch bei deinen Zielen hilfreich. Nehmen wir eine Sache, die dir wirklich stark am Herzen liegt: Du gehst der Sache gern nach, aber irgendwann kommt eine Zwischenetappe, die du nicht gut beherrschst und zu der du keine Lust hast. Ein geeignetes Beispiel wäre der Studiengang Psychologie: Du liebst die Theorie und den Umgang mit Menschen, aber das Modul „Statistik" mit dem mathematischen Anteil sagt dir überhaupt nicht zu. Nun sinkt deine Motivation, die bezogen auf den Studiengang groß ist, aber in Bezug auf das eine Modul gering. Der Haken: Du musst das Modul erfolgreich abschließen, falls du das Studium fortsetzen möchtest. Die Motivation ist im gesamten Studiengang wichtiger als die Disziplin, aber in diesem einen Modul kommt es auf deine Disziplin an. Machst du etwas, was dir nicht zusagt, um dein großes Ziel zu erreichen? Wenn ja, hast du mentale Stärke bewiesen. Falls nein, scheiterst du und hast trotz der hohen Gesamtmotivation aufgrund des einen Moduls den Studiengang versiebt. Schade drum.

Disziplin ist wichtig, damit du immer dann, wenn Hindernisse auftreten, deine Motivation hochhältst und dich den Hindernissen widersetzt. Für eine hohe Disziplin ist es vorteilhaft, wenn du …

> ➢ dir deine Motive immer wieder vor Augen führst.
> ➢ in schwierigen Zeiten Entspannung findest und deine Sorgen reduzierst.
> ➢ deine Impulse kontrollierst, um dich weniger durch Herausforderungen abschrecken zu lassen.

*Vor allem die Schritte 1, 4 und 5 in diesem Buch werden dir dabei helfen.*

## Selbstvertrauen/Selbstbewusstsein

*„In der Psychologie wird der Begriff Selbstbewusstsein vor allem als Selbstwertgefühl verstanden, d. h., als Bewusstsein von Bedeutung und Wert der eigenen Persönlichkeit, wobei vordringlich eine emotionale Einschätzung des eigenen Wertes impliziert wird.“* (Stangl, 2020)

Selbstwertgefühl gleich Selbstbewusstsein – so lautet die Gleichung, wenn es nach dem Fachlexikon Stangl geht. Diese Gleichung ist insofern plausibel, als dass Personen, die sich selbst einen höheren Wert zusprechen, gefestigter sind. Man nehme eine Person, die bereits mehrere Auszeichnungen als Mitarbeiterin des Monats erhalten hat: Die Auszeichnungen wurden vom gesamten Team vergeben und spiegeln die Meinung aller Mitarbeiter sowie Vorgesetzten wider. Für das Unternehmen ist die Person von hohem Wert. Mit den Auszeichnungen ist es sogar schriftlich belegt. Zudem hat die Person Spaß an ihrem Job und arbeitet sogar in der Freizeit an der Optimierung ihrer Fähigkeiten. Durch die permanente Steigerung in der Qualität ihrer Arbeit steigt das Selbstbewusstsein der Person. Die sich regelmäßig wiederholenden Auszeichnungen sind der Beleg dafür. Freunde und Bekannte loben die Person für das, was sie tut. Plötzlich kommt eine kritische Stimme auf, die nicht mal ausreichend mit sachlicher Kritik belegt ist. Erschüttert es die Person in ihrem Selbstbewusstsein? Nicht mal ansatzweise. Anders bei einer Person, die rund um die Uhr kritisiert wird, sich im Job unwohl fühlt und regelmäßig Fehler macht: Hier kann selbst der kleinste Ansatz von Kritik – so wenig plausibel er auch sein mag – dazu führen, dass das ohnehin angeschlagene Selbstbewusstsein einen neuen Tiefpunkt erfährt.

Selbstbewusstsein bedeutet, sich einen hohen Wert zuzu-
sprechen. Was an dieser Stelle „hoch" bedeutet, muss jede
Person für sich entscheiden. Allgemein geht es darum, sich
wichtig und fähig in dem zu fühlen, wer man ist und was man
tut. Selbstvertrauen lässt an die eigenen Fähigkeiten oder
an sich selbst im Allgemeinen glauben. Je stärker das Selbstvertrauen ausgeprägt ist, umso weniger können die eigenen
Glaubenssätze erschüttert werden. Es lässt sich erlernen,
denn es wächst mit den gemeisterten Herausforderungen.

Für ein ausgeprägtes Selbstvertrauen und Selbstwertgefühl
ist es bedeutend, dass du ...

> ➢ dich mit Menschen umgibst, die dich bei deinen
> Zielen und Wünschen fördern.
> ➢ schrittweise und konsequent an deinen Fähigkeiten
> arbeitest und sie verbesserst.
> ➢ mit zunehmendem Erfolg trotzdem am Boden
> bleibst, weil ansonsten das Selbstbewusstsein zur
> Arroganz ausarten kann.

*Insbesondere die Schritte 2, 5 und 6 in diesem Buch wer-*
*den dir bei diesen Aspekten eine Hilfe sein.*

## Lösungsorientierung

*„Lösungsorientierung ist eine Haltung, die uns in*
*jeder Situation unseres Lebens hilft. Statt mit unseren*
*Gefühlen und Gedanken immer wieder um ein Problem*
*zu kreisen und nach dessen Ursachen zu forschen,*
*können wir auch ganz einfach prüfen, was gut*
*funktioniert." (Heller, 2013)*

Nicht an Problemen verzweifeln, sondern sich auf Lösungen fokussieren – dies ist die Devise der Lösungsorientierung. Sie steht somit für Optimismus. Wobei die Lösungsorientierung im Vergleich zum Optimismus einen Vorteil hat: Sie ist durchdacht. Während es bei Optimismus auch den negativen blinden Optimismus gibt, ist eine Lösungsorientierung daran geknüpft, sich Gedanken über Lösungen zu machen. Die Denkarbeit wirkt blinder Naivität entgegen. So wäre eine typische Aussage beim Optimismus beispielsweise: „Das wird *schon irgendwie*." Die Lösungsorientierung hingegen würde, um es mit den Worten der lösungsorientierten Kurzzeittherapie nach Steve de Shazer zu sagen, eine der folgenden Fragen stellen: „Angenommen, es würde über Nacht, während Sie schlafen, ein Wunder geschehen und Ihr Problem wäre gelöst. Woran würden Sie das merken? Was wäre dann anders? Wie werden das andere erfahren, ohne dass Sie ein Wort darüber zu ihnen sagen?" Die Antworten wären konkret und würden dabei helfen, das Problem zu lösen.

Für eine lösungsorientierte Vorgehensweise hilft es dir, wenn du …

➢ in der Gegenwart lebst und ausgehend von deinem jetzigen Standpunkt deine Handlungsmöglichkeiten eruierst.
➢ an deiner Entschlossenheit festhältst und Hindernisse mittels überlegter Methoden bewältigst.
➢ die aktuelle Situation akzeptierst und nicht überhastet handelst.

*Unter anderem die Schritte 1, 3, 4 und 5 werden dir beim Erreichen dieser Verhaltens- und Denkweisen helfen.*

## Netzwerkorientierung

*„Gute soziale Beziehungen sind für Menschen lebens-
wichtig und stellen eine der wertvollsten Ressourcen
für innere Widerstandskraft dar. Ein stabiles soziales
Umfeld zu haben, Kontakte zu pflegen und sich bei Herausforderungen Unterstützung zu holen, sind gesunde
Verhaltensweisen, auf die man in kritischen Situationen
zurückgreifen kann." (Heller, 2013)*

Das soziale Umfeld kann motivieren und demotivieren. Es
kann beim Erwerb neuer Fähigkeiten oder der Verbesserung
dieser Fähigkeiten helfen oder im Wege stehen. Ferner hat
es das Potenzial, dir schwierige Aufgaben in einzelnen Fällen
sogar komplett abzunehmen oder dir weitere Aufgaben auf-
zutragen. Dein Umfeld ist eine spannende Sache, weil es ein
Faktor ist, an dem du nur zum Teil arbeiten kannst. Zu einer
beträchtlichen Menge musst du damit arbeiten, was gegeben
ist; schließlich kannst du die Menschen nicht auf Anhieb
und nur begrenzt verändern.

Optimierungsansätze im sozialen Umfeld bieten sich zum
einen durch deine Offenheit, zum anderen durch deine
Kontaktbereitschaft. Offenheit bedeutet, dass du über deine
Gefühle sprichst und nichts verheimlichst. Denn Personen
können sich dann am besten dir gegenüber verhalten, wenn
sie deine Lebensumstände und deine aktuelle Verfassung
kennen. Mal angenommen, du imitierst eine starke Person:
Obwohl du dich eher schwach fühlst, würden Personen
dich wie eine starke Person behandeln, weil du ihnen Stärke
suggerierst – mehr Kritik und weniger Lob sind meistens
das Resultat. Dies wird deine eigentlich sensible Haltung
wahrscheinlich noch weiter schwächen. Ehrlichkeit ist ein

wesentlicher Input von dir, der den Output von anderen an dich optimiert. Kontaktbereitschaft als zweiter Faktor trägt dazu bei, dass du dein Umfeld regelmäßig erweiterst und dir neue Kontakte erschließt. Dies ist dein Schlüssel dazu, dein Umfeld dynamisch an die Änderungen in deinem Leben anzupassen.

Es geht viel um Ehrlichkeit bei gleichzeitiger Offenheit, wenn die Netzwerkorientierung glücken soll: Sinnloser Stolz sollte dem Eingeständnis der eigenen Überforderung weichen. Hilfe sollte in Anspruch genommen und andersherum angeboten werden, um eine gegenseitige Kultur der Hilfsbereitschaft zwischen sich und andere Personen einzubürgern. Mit zunehmender Interaktion spielt man sich aufeinander ein und lernt, wie man dem anderen in Gesprächen am besten begegnet, um konstruktiv zu kritisieren und zu unterstützen, damit Motivation und Selbstvertrauen gestärkt werden.

Für eine geglückte Netzwerkorientierung ist es für dich vorteilhaft, wenn du …

➢ andere Menschen wertschätzt und dich an die Personen hältst, die dir Wertschätzung entgegenbringen.
➢ dich mit anderen Personen offen über deine Emotionen und deine Bedürfnisse austauschst.
➢ bei zunehmendem Erfolg nie vergisst, wer dir zu dem Erfolg verholfen hat, und diesen Menschen immer dankbar bleibst.

*Allem voran die Schritte 2, 3, 4 und 6 in diesem Buch werden dir helfen, ein solches Netzwerk zu pflegen.*

# Personengruppen, an denen man sich ein Beispiel nehmen kann

## Meine Erfahrungen

Bei mir war es vor allem das Lernen am Modell, das mir ziemlich viel gebracht hat. Hier konnte ich Einblicke in die Vitae zahlreicher Personen erhalten, die in einer ähnlichen Situation wie ich gewesen waren. Ich lernte aus ihren Erfahrungen, was es mir ersparte, selbst bestimmte Fehler zu machen oder Ungenauigkeiten zu begehen. Bestimmte Personengruppen zeichnen sich durch mentale Stärke aus. Durch Beruf, Lebensumstände, eigene Entscheidungen oder sonstige Faktoren bedingt, sind diese Personengruppen für eine erfolgreiche Interpretation ihrer Rolle auf mentale Stärke angewiesen. Sie werden geschult oder schulen sich selbst, um den täglichen Anforderungen gerecht zu werden.

Als eine kleine Inspiration für dich habe ich vor dem Einstieg in die Praxis fünf Personengruppen zusammengetragen, an denen ich mir ein Beispiel genommen habe, und hervorgehoben, was ich bei diesen Personengruppen als motivierend und inspirierend empfand. Beim Aufbau der Schritt-für-Schritt-Anleitung in diesem Ratgeber bin ich so vorgegangen, wie ich es selbst zu mentaler Stärke gebracht habe und es jeder Person empfehlen würde. Die Berücksichtigung der fünf Personengruppen und ihrer regulären Eigenschaften trägt zu einem ganzheitlichen Ratgeber bei.

### Alleinerziehende Personen

Mütter oder Väter, die alleinerziehend sind, müssen einen überwältigenden Spagat leisten. Je weniger selbstständig das

Kind aufgrund von Alter, Krankheit oder Entwicklungsstand ist, umso schwieriger ist dieser Spagat zu schaffen. Entweder wird neben der Erziehung gearbeitet, was ein zeitliches Problem birgt. Oder es wird nicht gearbeitet und finanzielle Unterstützung vom Staat bezogen, was wiederum die finanziellen Möglichkeiten mindert.

Wer erfolgreich alleinerziehend ist, hat nach Erkenntnissen aus Interviews häufig folgende mentale Stärken: Es wird offen über die Gefühle gesprochen und bereitwilliger Unterstützung geholt. Grund hierfür ist, dass Freunde und Familie sich häufiger um das Kind kümmern müssen, weil kein (Ehe-) Partner zur Unterstützung da ist. Die Hemmschwelle, mit anderen Menschen bei verschiedenen Anliegen zu interagieren, sinkt demnach. Ferner kommt als mentale Stärke ein gehöriges Maß an Selbstverantwortung hinzu: Alle Entscheidungen bezüglich des Kindes werden von dem alleinerziehenden Elternteil getroffen. Außerdem werden die Entscheidungen, die das eigene Leben und das des Kindes betreffen, eigenverantwortlich getroffen. Dies steigert Entschlossenheit und Verantwortungsbewusstsein. Alleinerziehende Personen, die diese Qualitäten entwickeln, weisen ein ausgeprägtes Selbstbewusstsein und eine Netzwerkorientierung auf.

## Sportler

Berufssportler und Extremsportler müssen psychischem Druck standhalten. Berufssportler treten vor Zigtausenden von Zuschauern auf. Zählt man das Fernsehen hinzu, dann sind ihre Auftritte häufig sogar vor Millionen von Menschen. Extremsportler haben meist bei weitem nicht derart viele Live-Zuschauer, gehen bei ihrem Sport jedoch häufig sogar bis an den Kampf ums Überleben. Mit der Zeit härten sie derart ab, dass die Angst ausgeblendet wird oder nicht mal mehr auftritt. Sie leben voll im Moment und rufen ihre Top-Leistung ab.

Unter welchem Druck Promi-Sportler stehen, dürfte der tragische Selbstmord des ehemaligen Fußball-Nationaltorwarts Robert Enke beweisen: Er warf sich vor einen Zug und hinterließ eine Frau und ein Kind. Die Belastung war derart groß, dass ihm nicht mal die Familie eine Stütze sein konnte. Trotz diesen Hindernissen bleiben Selbstmorde im Profisport eine Randerscheinung. Grund hierfür ist, dass – erstmal im Profi- oder Extremsport angekommen – Mentaltrainings und Gespräche mit Psychologen fester Bestandteil des Sports sind. Angst wird überwunden. Zweifel und Schmerz werden in positive Gefühle umgewandelt. Die Erfolge dienen als Booster für das Selbstvertrauen. An den eigenen Fähigkeiten wird konsequent weitergearbeitet, um sich zu steigern. Disziplin ist durch die professionellen Trainings eine Selbstverständlichkeit. Wer nicht diszipliniert ist, wird mit Geldstrafen oder Suspendierungen belegt.

## Führungspersonen

Führungspersonen – ob in Unternehmen, Politik oder einem anderen Segment – müssen mentale Stärke beweisen, wenn es darum geht, Entscheidungen mit weitreichenden Auswirkungen zu treffen. Dutzende, Hunderte, Tausende und noch mehr Personen können von Entscheidungen einer Person betroffen sein. Es muss an dieser Stelle eingestanden werden, dass die Entscheidungen nie komplett allein getroffen werden, weil bei größeren Unternehmen und in der Politik immer Teams beraten und mitentscheiden. Aber die finale Unterschrift und die finale Entscheidung entfallen meist auf eine Person. Führungskräfte haben unterschiedlich viel Skrupel. Die einen kümmern sich kein bisschen um ihre Arbeitnehmer oder die Bevölkerung und tun das, was ihnen selbst guttut. Die anderen messen den Arbeitnehmern und der Bevölkerung Bedeutung bei und wollen deren Arbeits- sowie Lebensumstände verbessern. Vor allem letztere Art von Führungskräften, die sich um andere sorgt, kann von Druck, Sorgen, Ängsten und Zweifeln geplagt sein. Fehler können Gewissensbisse bereiten. Aber jeder Mensch macht Fehler. Im Laufe der Zeit merken dies vor allem Top-Führungskräfte, weswegen sie eine hohe Akzeptanz gegenüber der gesgenwärtigen Situation entwickeln – Akzeptanz ist eine besondere mentale Stärke. Eine Lösungsorientierung zur Besserung der Fehler oder zur Weiterentwicklung von Unternehmen bzw. Staat ist grundlegend, die Netzwerkorientierung stellt eine gelungene Zusammenarbeit mit den Beratern und Angestellten sicher.

## Krieger / Soldaten

Stelle dir vor, du würdest dich vor dem Gang zur Arbeit von deiner Familie (Eltern, Kinder, Ehefrau bzw. -mann, Brüdern und Schwestern, Großeltern etc.) verabschieden und wüsstest nicht, ob du das nächste Mal lebend heimkommst. Eine mentale Stärke zu entwickeln, die diese enorme Ungewissheit, Angst und Art der Trennung zu bewältigen hilft, ist wohl für einen Großteil der Menschen unvorstellbar. Dass es unvorstellbar ist, liegt nicht nur an der Natur der Umstände (Krieg und Ungewissheit), sondern auch an der heutigen Lebenssituation bei uns in Mitteleuropa. Die überwältigende Mehrheit der Bevölkerung ist nach dem zweiten Weltkrieg geboren und hat viele Kriege nur aus der Ferne mitbekommen. Anders ist es da beispielsweise bei den USA, die sich seit dem zweiten Weltkrieg an mehr Kriegen mit größerem Aufgebot beteiligt haben als z. B. Deutschland. Hier soll keine Diskussion darüber geführt werden, ob das militärische Engagement von Staaten oder Personen gerechtfertigt ist oder nicht. Stattdessen soll festgehalten werden, dass aufgrund des jahrzehntelangen Friedens in Mitteleuropa oftmals nicht bedacht wird, dass es in anderen Teilen der Welt alltägliche Szenarien sind, dass Menschen sich von ihren Familien verabschieden müssen und einer der gefürchtetsten Herausforderungen seit Menschengedenken gegenüberstehen: dem Kampf um Leben und Tod. Mentaltrainings sind heutzutage ein folgerichtiger Bestandteil der Aus- und

Weiterbildung von Soldaten. Meist sind hohe Motivationen gegeben, weil sich die Soldaten mit ihrem Heimatland identifizieren und ihm sowie den Menschen darin einen Dienst erweisen wollen. Die Motivation und die Treue ist so groß, dass sie bereit sind, ihr Leben dafür zu opfern – so zumindest das Idealszenario. Diese mentale Stärke sowie die Kunst, in der Gegenwart zu leben und vor dem Einsatz das Leben mit der Familie maximal auszukosten, sind häufig anzutreffende Stärken bei Soldaten.

## Teenager

Teenager sind zu nicht zu beneiden. Zwar haben sie – bei voller Gesundheit – vom Alter und der Lebenserwartung her weitaus mehr Perspektiven als Erwachsene, aber sie befinden sich in einer komplizierten Zwischenwelt: Kind oder Erwachsener – wer sind sie? Als ich eines entspannten Abends durch das Angebot bei Amazon Prime streifte, entdeckte ich einen Film (*Chemical Hearts*, 2020), in dem es im Kern um eine Liebe zwischen zwei Jugendlichen geht, die von vornherein unter keinem guten Stern steht. In einer Szene wird das Problem hinter dem Teenager-Dasein in faszinierende und treffende Worte gefasst:

> *„Denk' darüber nach, was es bedeutet, Teenager zu sein. […] Beide Eltern drängen dich dazu, Erfolg zu haben. Deine Freunde drängen dich dazu, einen Scheiß zu machen, den du nicht machen willst. Die sozialen Medien drängen dich dazu, deinen Körper zu hassen. Das ist schwer; selbst, wenn man ein ausgeglichenes Kind aus einer guten Familie ist. […] Als Teenager irrt man durch eine Art Niemandsland. Man ist irgendwo gefangen zwischen Kindheit und Erwachsensein und die ganze Welt verlangt, man solle möglichst reif sein und sich doch bitte entfalten. Aber sobald man das macht, heißt es: ‚Halt die Klappe!'"*

Wenn aus medizinischem Blickwinkel der wilde Tanz der Hormone einbezogen wird, erhalten die einfachen Worte ein wissenschaftliches Fundament. Erwachsene können viel von Teenagern lernen. Dazu gehört vor allem die Fähigkeit, einem Sturm an Emotionen und Wechselbädern von Gefühlen standzuhalten.

## Das Wichtigste auf den Punkt gebracht

- Durch mentale Stärke erlangt man bessere Aussichten auf Fortschritt, weil Herausforderungen angenommen und bewältigt werden.
- Wenn schwierige Lebensphasen oder Krisen eintreten, hilft mentale Stärke dabei, wieder ins Leben zu finden.
- Mentale Stärke ist außerdem der Schlüssel zu einem positiven Umfeld, in dem man sich wohlfühlt und anderen Personen ebenfalls Wohlbefinden verschafft.
- Universelle Charaktereigenschaften, die mentale Stärke fördern, sind: Motivation, Disziplin, Selbstvertrauen/Selbstbewusstsein, Lösungsorientierung, Netzwerkorientierung.
- Es gibt Personengruppen, die von Natur aus mentale Stärke an den Tag legen. Einige Beispiele für inspirierende und meist mental starke Personen sind Führungspersonen, Alleinerziehende, Sportler, Soldaten und Teenager.
- → Beobachte diese Personengruppen in deinem persönlichen Umfeld gut, um von ihnen zu lernen, und führe dir die universellen Charaktereigenschaften sowie deren Ausprägung bei dir vor Augen! So leitest du deine Transformation zur mental starken Person ein.

# MPS Schritt 1: Gegenwart leben, achten und genießen

Die Gegenwart ist maßgebend. Mit ausschweifenden Gedanken an die Vergangenheit lässt du dich durch Dinge ablenken, die du sowieso nicht mehr verändern kannst. Sicherlich ist es wichtig, Geschehenes zu reflektieren und daraus zu lernen. Dies wird ein Teil dieses Kapitels sein. Aber es sollte ausschließlich in dafür vorgesehenen Zeitfenstern passieren, damit es nicht jeden Moment deines Lebens dominiert. Den Großteil deiner Momente solltest du stattdessen in der Gegenwart verbringen. Denn mit der Gegenwart arbeitest du zugleich an der Zukunft: Dein Handeln in diesem Moment verändert den darauffolgenden Moment. Man könnte also festhalten, dass die Gegenwart deine Chance ist, eine bessere Vergangenheit zu schaffen und die Zukunft nach deinen Wünschen zu gestalten. Dabei ist der unbedingte Fokus auf die Gegenwart zielführend. Dies ist gar nicht so einfach, denn oft lassen sich Personen von Gedanken ablenken. Wie wird der Fokus auf einen bestimmten Moment konzentriert? Dies lernst du in diesem Kapitel anhand von Übungen und Erklärungen. Vorab sei ein detaillierterer Blick auf die Vorteile eines Lebens in der Gegenwart geworfen:

## 1) Beste Leistungen und größte Achtsamkeit durch hohe Konzentration

Wenn du dich durch die Vergangenheit ablenken lässt, wird es dir schwerer fallen, Top-Leistungen abzurufen. Während du dir Sorgen um ausstehende Rechnungen, Streitigkeiten von gestern und peinliche Momente machst, bist du mit dem

Kopf schließlich woanders. Wenn du dich auf das Hier und Jetzt konzentrierst, wirst du dein Potenzial in der aktuellen Situation am besten abrufen.

*Das ist mentale Stärke: Nicht ablenken lassen, sondern Kopf freimachen und überzeugende Leistungen liefern!*

## 2) Die Schönheit des Moments erfassen

Immer ist etwas um dich herum los, das es wert ist, beachtet zu werden. Das Paar, das sich küsst, zeigt, dass trotz der vielen Konflikte auf dieser Welt nach wie vor die Liebe einen Platz hat. Das Mädchen, das mit ihrem Hund spielt, zeigt, dass Spaß bereits mit den einfachsten Mitteln erreicht werden kann. Der durchtrainierte Mann beim Joggen zeugt davon, dass Leistung belohnt wird und sich harte Arbeit auszahlen kann.

*Das ist mentale Stärke: Sich den negativen Einflüssen des Alltags entsagen und für sich das viele Schöne und Positive entdecken, um ein angenehmes Weltbild zu erhalten!*

## 3) Erkenntnisse für sich und über sich gewinnen

Nur wenn du in der Gegenwart lebst und über dich sowie die Dinge um dich herum nachdenkst, kannst du Erkenntnisse gewinnen, die dich voranbringen. Sehr wohl ist es wichtig, auch über Vergangenes nachzudenken. Aber das, was sich genau jetzt zu diesem Zeitpunkt in deinem Kopf abspielt, im Zusammenhang mit der Umgebung und den aktuellen Umständen, verschafft dir den aktuellsten Einblick in dein Inneres. Im Rückblick fühlst du nie so intensiv wie im jeweiligen Moment.

*Das ist mentale Stärke: In sich hineinzuhorchen und das zu erkennen, was einem wirklich wichtig ist, um all seine Ressourcen zum Erreichen realistischer Träume einzusetzen!*

Das Leben in der Gegenwart hilft zudem, Stress zu entkommen. Denn Stress ist der Vorbote der Zukunft. Je mehr du an Sachen, die du erledigen musst, denkst, umso eher setzt du dich unter Druck und in Eile. Es sollte aber anders sein … Denn während du z. B. auf der Parkbank sitzt und zehn Minuten lang eine Auszeit nimmst, hast du für dich beschlossen, dass du in diesen zehn Minuten entspannst. Entspannung kann nur im Moment erfolgen. Werde all den Ballast aus deinem Kopf los!

Mit dem Gedanken an die Zukunft kommt nicht nur der Stress. Auch Träume, die du hast, beziehen sich auf die Zukunft. Sie sind eine wichtige Motivation und ein Ansporn, deine Pläne in die Tat umzusetzen. Problematisch wird es jedoch, wenn die Träume zu Märchenschlössern ausarten. Den Spagat zwischen realistischen Träumen und konkreten Zielen im Leben zu meistern, ist nicht einfach. Einige Personen bekommen ihn gar nicht hin. Sie errichten sich Märchenschlösser, während das Leben an ihnen vorbeizieht – Tag für Tag, Monat für Monat, Jahr für Jahr. In der Gegenwart zu leben, bedeutet, seine Träume zu leben. Wichtiges Instrument dafür sind realistische Träume, die in Etappenziele umgewandelt und mit den Handlungen der Gegenwart verfolgt werden.

Erwartungen sind, ebenso wie Stress, die Vorboten der Zukunft. Sie sind an die Voraussetzung geknüpft, dass du ein bestimmtes Ziel in einer bestimmten Zeit erreichst. Auf der einen Seite ist das Problem bei Erwartungen, dass diese enttäuscht werden können. Auf der anderen Seite sind Erwartungen eine wichtige Orientierung und eine Benchmark, ob du auf dem richtigen Weg bist, deine Träume zu verwirklichen. Was sollst du also tun – erwarten oder nicht erwarten?

All die angesprochenen Themen und erhofften Resultate warten in diesem Kapitel auf dich. Es ist der erste Schritt, weil die Gegenwart dein Ausgangspunkt ist. Werde zum Meister deiner gegenwärtigen Lage!

## Ab heute zählt für dich die Gegenwart

Der Einstieg in dieses Kapitel ist praxisorientiert. Damit du ein Gefühl dafür bekommst, was das Leben in der Gegenwart bedeutet, sind Übungen das Beste. Indem du Schritt für Schritt erlernst, dich auf den jetzigen Moment zu fokussieren, gelingt es dir besser, die weiteren Ausführungen dieses Kapitels auf deinem Weg zu mentaler Stärke zu verstehen. Die Übungen haben – mal ganz abgesehen davon, dass sie dir helfen, deinen Fokus auf den jetzigen Moment und die Gegenwart zu richten – mehrere weitere Vorteile, die dich auf dem Weg zur mentalen Stärke fördern.

Sport ist ein Element der folgenden Übungen. Er hilft dir je nach Sportart, mentale Stärke auf unterschiedlichen Wegen zu entwickeln. Trittst du vor Zuschauern auf, so entwickelst du bestenfalls Nerven wie Drahtseile, was auch zur Linderung oder Beseitigung deines Lampenfiebers im Beruf beitragen kann. Bei Teamsportarten gewinnst du eventuell Freunde, die dir wohlgesonnen sind. Sie motivieren dich und lassen dich stärker an deine Fähigkeiten glauben, wodurch du deine Widerstandskraft in schwierigen Lebensphasen steigerst.

Neben Sport sind spezielle Entspannungsübungen von Nutzen. Ein Beispiel ist die PME. Die PME (Progressive Muskelentspannung) wurde vom US-amerikanischen Arzt Edmund Jacobson (1885-1976) entwickelt, der auf der

Suche nach Lösungen war, um nervösen Menschen zur Entspannung zu verhelfen. Die Senkung von Nervosität ist ein gutes Zeichen für die Entwicklung mentaler Stärke. Aber kann die PME auch die Hoffnungen bestätigen? Heute ist die Methode gut erforscht. Schon 1994 zeigte sich durch 66 kontrollierte Studien von Grawe et al., dass die PME als Bestandteil von Therapien hilfreich ist. Die größte Wirkung stellte sich bei der Therapie von Angststörungen und psychosomatischen Erkrankungen (wie Hypertonie und chronischen Schmerzen) ein.

Die Empfehlung an dich ist nun, einerseits von Entspannungsübungen und andererseits von Sport Gebrauch zu machen, um besser abschalten und in die Gegenwart finden zu können. Du erhältst daher im Folgenden eine Auswahl an drei Übungen, von denen du nur eine auswählen und eine Woche lang regelmäßig praktizieren solltest. Zusätzlich zu diesen Übungen ist es optimal, wenn du versuchst, alle zwei oder drei Tage jeweils 30 Minuten Sport auszuüben. Der Sport kann gern in deinen eigenen vier Wänden stattfinden. Du hast reichlich Sportarten zur Auswahl, um die Intensität und technischen Anforderungen an dein Leistungslevel anzupassen. Versuche, einen Monat lang alle zwei bis drei Tage diese sportliche Aktivität über eine Dauer von 30 Minuten durchzuführen. Am Morgen oder am Abend sind zwei gute Zeitpunkte. Wenn es dir gefällt, wirst du die Häufigkeit und Dauer der Aktivität von selbst steigern.

Die folgenden drei Übungen sind speziell und dienen gezielt der Fokussierung auf die Gegenwart. Meist ist das Ziel die Herstellung von Entspannung. Für dich ist Entspannung ein wichtiges Element, um die Sorgen und Gedanken des Tages entgleiten zu lassen und dich einfacher in der Gegenwart wiederzufinden.

## *Übung 1*

Die PME nach Jacobson verläuft wahlweise in Kurz- oder Langformen. Die Kurzform sieht folgenden Ablauf vor:

I. 30 Minuten Zeit in einem ruhigen und ungestörten Raum nehmen. Bequeme Liegeposition einnehmen. Lockere Kleidung tragen. Am besten einen Wecker stellen, um vom Blick auf die Uhr nicht abgelenkt zu werden.

II. Zu Beginn der Übung die Augen schließen. Beginnen, gleichmäßig und in einem festen Tempo ein- und auszuatmen.

III. Muskulatur des Körpers 5 bis 10 Sekunden lang fest anspannen. Danach für rund 30 Sekunden entspannen. Diesen Ablauf mehrmals wiederholen.

In der Langform ist der Ablauf ab dem dritten Schritt ein anderer. Du spannst nämlich nicht die gesamte Muskulatur des Körpers an, sondern die Muskeln einzeln. Dabei beginnst du beispielsweise mit den Händen und arbeitest dich langsam vor: von den Händen zu den Unterarmen, dann spannst du die Arme komplett an. Nach den Armen spannst du die Arme und die Brustmuskulatur an. So geht es weiter, wobei du Schritt für Schritt zu den vorherigen Muskeln eine weitere Muskelgruppe addierst und am Ende der ganze Körper angespannt wird. Zwischendurch gibt es Pausen. Du kannst bei der Übung in Gedanken gern mit dir selbst reden. Dadurch leitest du dich durch die Übung. Du sagst dir, welche Muskeln du anspannen sollst, und zählst die Sekunden. Während der Anspannung kannst du mehrmals „Halten" wiederholen. Abschließend sagst du „Loslassen" und entspannst dich, ehe der Ablauf wieder von vorn beginnt.

## *Übung 2*

Die Meditation ist eine fernöstliche Methode, bei der in einer bequemen Haltung Platz genommen wird. Der Fokus gilt allein dem Moment. Jegliche Ablenkung ist zu vermeiden. Anfängern wird empfohlen, sich bei den ersten Meditationen voll auf die Atmung zu konzentrieren. Dies soll dabei helfen, sich von den Gedanken des Alltags abzulenken.

I. Nimm in einer Sitzposition am Boden bequem Platz. Achte darauf, dass du nicht auf deinen Unterschenkeln sitzt und alle Gefäße gut durchblutet werden. Ansonsten riskierst du, dass dein Bein einschläft.

II. Sitze aufrecht, um deine Brust zu öffnen und besser atmen zu können. Halte den Kopf geradeaus gerichtet und schließe die Augen. Die Arme lässt du locker in deinem Schoß liegen.

III. Es bietet sich an, auch hier zuerst den Wecker zu stellen. Weil die Meditation ohne abwechslungsreiches Anspannen und Entspannen der Muskeln verläuft und eher monoton ist, sollten Anfänger im Gegensatz zur PME mit einer kürzeren Dauer, aber dafür zweimal täglich, praktizieren. 10 Minuten sind angemessen.

IV. Atme zu Beginn tief ein und halte die Luft ein bis zwei Sekunden. Atme dann wieder aus. Versuche, dir mit jedem Atemzug vorzustellen, wie du tief in deine innere Gedankenwelt vordringst. Stelle dir bei jedem Ausatmen vor, wie du die Sorgen des Alltags loswirst.

## Übung 3

Die ESA-Technik dient dem emotionalen Stressabbau. Sie ist speziell auf schwierige Lebensphasen oder belastende Momente des Alltags ausgerichtet, um den Verstand von negativen Gedanken zu bereinigen.

I.   Lege oder setze dich bequem hin.
II.  Lasse eine Hand deine Stirn ganz leicht berühren und halte die andere Hand leicht auf deinem Bauchnabel.
III. Schließe die Augen, atme eine Weile lang in Ruhe und gleichmäßig ein und aus.
IV.  Stelle dir jetzt vor, wie unangenehme Gedanken und Bilder durch deinen Kopf streifen. Halte jeden Gedanken und jedes Bild kurz fest, nimm diesen Moment ernst, aber stelle dir nach wenigen Sekunden des Festhaltens vor, wie du die Gedanken und Bilder hinfort schickst, um dich von ihnen zu distanzieren.

Falls bei dir die Frage verbleibt, welchen Einfluss all diese Übungen auf die Gegenwart haben, ist es nachvollziehbar. Zur Klärung der Frage sei zunächst eine Gemeinsamkeit der Übungen aufgeführt: Sie alle – auch der Sport generell, ob es nun Boxen, Fußball, Gymnastik, Badminton, Handball oder ein anderer ist – verhelfen dir dazu, dich von dem Trubel des Alltags und den Herausforderungen, die dir noch bevorstehen, zu distanzieren. An die Stelle dieser Einflüsse rückt die jeweilige Aktivität, die dich meist voll in den Moment versetzt. Anfangs wird es noch Übung brauchen, bis die Meditation, PME oder sonst eine Methode so wirkt, wie sie soll. Es wird erlernt und mit der Zeit wirst du immer besser die Gegenwart wahrnehmen. Und nun wird es wirklich interessant: Denn unmittelbar nach der Übung bist du in den Gedanken meist klarer und fokussierter. Du siehst die Welt, nachdem du die Augen nach der Meditation wieder öffnest, gewissermaßen mit anderen Augen.

---

### Meine Erfahrungen

Ich versuchte früher bei der Arbeit, meinen Fokus durch den Konsum von Energy-Drinks zu steigern. Nach einigen Monaten bekam ich Probleme mit meinem Blutdruck. Folgerichtig entschied ich mich: Back to the roots! Ich entsagte den koffein- und taurinhaltigen Substanzen. Stattdessen meditierte ich, wie es Jahrtausende alte Traditionen empfehlen. Anfangs fand ich es schwierig, mich zu konzentrieren. Durch den Fokus auf die Atmung hatte ich aber einen Anker, der mir half, alle anderen Gedanken abzuschalten. Nach 15 Minuten Meditation war meine Konzentration besser als nach mehreren Energy-Drinks. Ich legte ein Wahnsinns-Tempo an den Tag. Bis heute ist die Meditation mein bevorzugtes Verfahren, um mich voll auf den Moment zu konzentrieren.

---

Der Fokus, den du aus diesen Übungen mitnimmst, überträgt sich auf andere Aktivitäten: Bei der Arbeit bist du konzentrierter. In Gesprächen schnappst du die wichtigen kleinen Details auf. Beim Lernen bist du effizienter. Wenn du Abläufe reibungslos durchführen musst, gelingen sie dir sauberer. Je häufiger du die Übungen machst, umso mehr trainierst du dich darin, generell aufmerksam zu sein. So gelingt es dir ab heute – vorausgesetzt, du beginnst heute mit einer der Übungen – mit jedem Tag mehr und mehr in der Gegenwart zu leben.

**Zwischenfazit**

*Spezielle Übungen sind der beste erste Schritt, den du gehen kannst, um deine Wahrnehmung auf die Gegenwart zu richten. Durch regelmäßige Übung lernst du es, auch über die Übungen hinaus in der Gegenwart zu sein. Du lässt dich bei deinen Aktivitäten weniger aus dem Konzept bringen und kaum noch ablenken.*

# Wie du mittels Achtsamkeit Erkenntnisse gewinnst

Gegenwart erfordert Achtsamkeit. Beim Erlangen dieser Achtsamkeit helfen dir die erwähnten Übungen. Setze sie fort, denn du wirst sie regelmäßig brauchen; so auch direkt in diesem Unterkapitel. Je aufmerksamer du in den einzelnen Momenten deines Lebens bist, umso mehr Erkenntnisse gewinnst du über dich selbst.

**Beispiel**

Du sitzt im Park. Es ist ein Großstadtpark in der Nähe zum Zentrum. Das Wetter ist sonnig und lädt Familien, Pärchen sowie Einzelpersonen dazu ein, sich im Park die Zeit zu vertreiben. Stelle dir vor, dein persönlicher Mentale-Stärke-Trainer kommt zu dir in den Park, weil ihr euch so verabredet habt, setzt sich neben dich auf die Bank und stellt dir folgende Frage: „Was passiert hier gerade? Was ist im Park los?" Deine Antwort lautet: „Nichts." Dein Coach schüttelt nur den Kopf und sagt: „Das ist falsch. Es ist sogar sehr viel los."

Falls du in einer solchen Situation anders geantwortet hättest, mag es sein, dass dieses Beispiel schwer nachzuvollziehen ist. Ohnehin muss einiges erklärt werden. Zunächst ist es interessant, zu ermitteln, wie eine Person auf die Antwort „Nichts ist los." kommt. Der Grund hierfür ist einfach: Es ist nichts „Besonderes" los. Kinder spielen, Pärchen küssen sich, Rentner füttern die Tauben – alles erstmal gewöhnliche Sachen, die man oft gesehen hat. So kommt die Antwort „nichts" zustande. Es gibt viele Personen, die so antworten würden. Dies hat aber nichts mit Achtsamkeit zu tun. Achtsamkeit würde bedeuten, jedes Detail im Park zu beobachten, wenn nicht gerade meditiert oder einer anderen Aufgabe nachgegangen wird, die Fokus für andere Dinge verlangt. Im Rahmen dieser Beobachtungen können manchmal Situationen beobachtet werden, die überraschende Details oder Entwicklungen bereithalten:

> Die Kinder spielen, aber sie tun es auf eine komplett andere Art und Weise als für ihr Alter gewöhnlich. Ein Kind fällt und sofort eilen alle selbstlos herbei, um ihm beim Aufstehen zu helfen. Sie stellen den Spielspaß hinten an.
> Ein Pärchen küsst sich. Aber beide sind locker über 80 Jahre alt. Seit wann ist denn die Innigkeit, die dieser Kuss zeigt, in diesem Alter selbstverständlich? „Vielleicht sind sie sogar seit ihrer Jugendzeit zusammen ...", denkst du und beginnst, Interesse für die Lebensgeschichte des Pärchens zu entwickeln.
> Die Rentner füttern die Tauben, aber die Horde Jugendlicher, die gerade heranrückt, schickt sich an, die Tauben fortzujagen. Sie rennen auf die Tauben zu und bringen die Rentner in Rage. Was für ein Schauspiel!

Es ist immer etwas im Gange, das sich zu beobachten lohnt. Und manchmal halten einfache Schilderungen, wie in den drei Stichpunkten oben, faszinierende Details oder überraschende Wendungen bereit: Im Rahmen deiner Beobachtungen kannst du einerseits Erkenntnisse über dich selbst sammeln, andererseits Entspannung gewinnen und deine Stimmungslage verbessern. Entspannung gewinnst du beispielsweise, wenn du diese genaue Beobachtungsgabe auf die kürzesten Pausen anzuwenden vermagst: Du denkst nicht daran, dass die Pause im Büro nur fünf Minuten dauert und du danach keine Lust auf die Arbeit hast. Stattdessen bist du voll im Moment, baust Stress ab und bist während der Arbeit besänftigt. Durch weniger Stress erlangst du u. a. mehr Geduld, Ausgeglichenheit und präsentierst dich mental generell stärker.

Wie kannst du aus Beobachtungen Erkenntnisse über dich selbst gewinnen? Indem du achtsam den Moment mit allem Drum und Dran beobachtest, beginnst du, über die verschiedensten Dinge und deine Einstellung dazu nachzudenken. Es ist ein Automatismus, der sich entwickelt. Zudem wirst du auf Ideen gebracht, neue Hobbies auszuprobieren oder Beobachtungen in den beruflichen Kontext zu transferieren, um Aufgaben besser in die Tat umzusetzen. Achtsamkeit gegenüber dem Moment fördert Erkenntnisse über dich selbst und das, was um dich geschieht. Durch die Beobachtungen bekommst du reichlich Material, um dich und deine aktuelle Lage zu hinterfragen. „Hinterfragen" meint an dieser Stelle nicht, dass deine aktuellen Pläne und Handlungen schlecht sind. Das „Hinterfragen" ist vielmehr als generell nützliche Handlung zu verstehen. Denn wenn du nicht hinterfragst, ob alles noch nach deinen innersten Wünschen verläuft, kann es passieren, dass du die dynamischen Entwicklungen des Lebens ignorierst und deinen bisherigen Kurs beibehältst, obwohl dir ein paar Veränderungen gut täten.

Mit all dem, was du jetzt über Achtsamkeit erfahren hast, kannst du bereits Übungen machen:

> Nutze die kurzen Pausen des Alltags, um die Dinge um dich herum zu beobachten und über sie nachzudenken. Dies ist eine herausragende Alternative dazu, das Smartphone zu zücken und darin über negative Nachrichten oder andere schlechte Einflüsse zu stolpern.

> Überlege, wenn du dich demnächst langweilst, ob es nicht doch etwas zu beobachten gibt. Denn wie du jetzt weißt: Es ist immer etwas los. Dies fördert deine Kreativität in vielfacher Hinsicht.

> Sei Personen gegenüber aufmerksam: Wenn du achtsam bist, wirst du erkennen, dass dein Kollege etwas an seinem Äußeren verändert hat. Lobe die Person, um mit deinen Mitmenschen ins Gespräch zu kommen.

Achtsamkeit hat also einen mannigfaltigen Nutzen. Es gibt eine Übung, die für dich persönlich die wichtigste Funktion hat. Diese Übung ist der Inbegriff von Achtsamkeit gegenüber dir selbst. Sie führt dich in die tiefsten Weiten deines Bewusstseins. Sie holt Gedanken zum Vorschein, die du dir selbst ungewollt vorenthältst. Sie weist dir den Weg, der wirklich dein angestrebter Lebensweg ist. Die Übung ist: der Innere Dialog.

In einer Welt voller Ablenkungen und permanenter Erreichbarkeit in sich hineinzuhorchen, ist Gold wert. Der Innere Dialog verhilft dir dazu. Er wirkt Wunder und kann dich vom falschen Weg auf den richtigen bringen oder – falls du bereits den richtigen Weg vor Augen hast – dich beständig an diesem Weg festhalten lassen. Der Innere Dialog festigt unter Umständen deine Entschlossenheit, gewisse Vorhaben durchzuziehen, weil er zeigt, dass du das, was du tust oder hast, wirklich willst und dankbar dafür bist.

---

**Hinweis!**

Dankbarkeit ist ohnehin ein wesentlicher Punkt in deinem Leben. Je dankbarer du bist, umso stärker rufst du dir vor Augen, dass du mit dem, was du hast, glücklich oder zumindest zufrieden bist. Diese Haltung ist Balsam für die Seele. Sie vermag, Depressionen zu lindern und in schwierigen Phasen Halt zu bieten. Auch suggeriert dir Dankbarkeit eine gewisse Art von Reichtum. Es muss nicht der Reichtum in Form von Geld sein. Wie wäre es mit einem Reichtum an Gesundheit, toller Familie oder sonstigen Vorzügen, die du in deinem Leben genießen darfst? Du wirst dich selbst und dein Leben in einer dankbaren Haltung mehr wertschätzen und selbstbewusster auftreten.

---

Der Innere Dialog ist deine Art, mit dir selbst zu reden. Günstige Bedingungen und regelmäßige Durchführung sind bei dieser Übung wichtig. Um die günstigen Bedingungen herzustellen: Die Basis bildet ein gemütlicher Ort. Setze dich am besten hin. Ein bequemer Stuhl reicht schon, ein Sofa oder Sessel ist noch besser. Sorge dafür, dass es um dich herum ruhig ist. Zumindest für die Dauer des Inneren Dialogs sollte es still sein. Beseitige Faktoren, die dich ablenken könnten. Wie lange der Innere Dialog dauert, hängt ganz von dir ab. In der Praxis ist es wichtig, dass du dir deinen Alltag und gern auch bestimmte Abschnitte deines Lebens, die dich zurzeit beeinflussen, vor Augen führst. Wie lange du dafür brauchst, ist nebensächlich. Das Ziel des Inneren Dialogs ist, dass du über die Ereignisse und deine dazugehörigen Gedanken sowie Gefühle nachdenkst. Habe dabei den Mut, zu hinterfragen, ob das, was aktuell geschieht, in deinem Sinne ist. Kannst du vielleicht etwas zu deinen Gunsten verändern? Am Ende des Inneren Dialogs steht idealerweise die Erkenntnis, dass du mit allem, was du machst, glücklich bist. Der Sinn des Inneren Dialogs ist, dass du dich intensiv mit dir auseinandersetzt. Wenn das alles soweit abgedeckt ist, rufst du dir am Ende des Inneren Dialogs am besten immer fünf Tatsachen ins Gedächtnis, für die du dankbar bist, und wiederholst sie mehrmals. So kultivierst du Dankbarkeit.

> **Übung**
>
> Führe den Inneren Dialog als Ritual regelmäßig zu festen Zeiten durch. Er lässt sich gut mit der Führung eines Tagebuchs kombinieren. Ein schriftliches Festhalten ist generell von Vorteil, weil du so deine Emotionen mehrere Tage, Wochen, Monate oder sogar Jahre zurückverfolgen kannst. So erhältst du einen Überblick über deine Entwicklung.

> **Zwischenfazit**
>
> *Lebe in der Gegenwart, um achtsam gegenüber den vielen Anreizen und Wundern um dich herum zu sein. Sie inspirieren dich und verändern deine Gegenwart zum Besseren, wenn du es zulässt. Sei durch den Inneren Dialog auch achtsam gegenüber dir selbst, um herauszufinden, ob dir die Gegenwart in ihrem jetzigen Zustand zusagt.*

## Realismus und Märchen werden klar getrennt

Das Prinzip des Inneren Dialogs hilft dir dabei, zwischen Realismus und Märchen zu unterscheiden. Auf Basis deiner Erkenntnisse aus dem Inneren Dialog fällt es dir leichter, realistische Ziele zu setzen bzw. realistische Träume zu haben. Es wird dir klarer, wo du stehst und was du zum jetzigen Zeitpunkt erwarten darfst. Folgerichtig erbaust du keine Märchenschlösser, die dich schlimmstenfalls in einer Traumwelt leben und den wahren Moment verpassen lassen.

## Beispiel

Du bist aktuell verschuldet. Dein Traum ist hingegen, Millionär zu sein. Diesen Traum hast du Tag für Tag vor Augen. Wer in solchen Größenordnungen denkt, wird es schwer haben, die kleinen Schritte zum Abbau der Schulden zu gehen. Diese sind aber zuallererst notwendig. Denn solange du Schulden hast, diese nicht begleichst und die hohen Dispo-Zinsen oder Mahngebühren zahlen musst, kannst du aus deiner prekären Lage nicht herausfinden. Dein Traumschloss wird gleichzeitig dein Gefängnis sein. Durch den Inneren Dialog führst du dir vor Augen, dass du zu viel willst: Du begreifst, dass du besser in kleinen Schritten denken solltest. So arbeitest du dich schließlich zur Schuldenfreiheit, woraufhin du mehr Möglichkeiten hast, dein Geld gewinnbringend zu investieren. Auf diesem Wege wirst du am ehesten Millionär. Aber zum gegenwärtigen Zeitpunkt vom Millionärsdasein zu träumen, wäre kontraproduktiv. Erstmal musst du Schritt für Schritt raus aus den Schulden kommen.

Eine Herausforderung gibt es bei der ganzen Angelegenheit: Der Innere Dialog fördert Erkenntnisse, aber er garantiert nicht, dass du schnell aus dem Märchenschloss entkommst. Hierfür braucht es weitere Methoden und Mittel. Um deiner gegenwärtigen Situation gewahr zu werden und daraus die richtigen Ziele für deine aktuelle Lage abzuleiten, erhältst du eine weitere Aufgabe.

## Übung

I. Schreibe alles auf, was du dir erträumst – sogar die abwegigsten Dinge. Nimm dir dafür Zeit. Nutze dabei den Inneren Dialog in einer ruhigen Umgebung.

II. Notiere nun, wie viel Zeit du täglich zur Verfügung hast und wie viel davon für Pflichten verloren geht, die du wahrnehmen *musst*. Wie viel Zeit bleibt für die Realisierung deiner Träume übrig?

III. Prüfe, ob es realistisch ist, mit der dir verfügbaren Zeit sowie deinen weiteren Ressourcen (z. B. Geld, eigene Fähigkeiten, gesundheitliche Verfassung) deine Träume zeitnah zu verwirklichen. Nimm von Träumen Abstand, die fernab deiner zeitlichen und sonstigen Möglichkeiten liegen. Streiche sie von der Liste. Im Inneren Dialog wirst du voraussichtlich mehrere Kleinigkeiten entdecken, die ein attraktiver Ersatz für mögliche unrealistische und von der Liste gestrichene Träume sind.

IV. Es müssten auf der Liste Träume bzw. eher kleinere Ziele stehen bleiben, die du in relativ kurzer Zeit mit deinen Ressourcen realisieren kannst. Gern dürfen diese kleineren Ziele im Zusammenhang mit einem großen Traum stehen und dich diesem näher bringen. Beachte nur, dass sie zeitnah zu erreichen sind und nicht so fern liegen, dass dir der Weg weit und beschwerlich erscheint. Mache es dir einfach!

V. Erstelle eine Schritt-für-Schritt-Abfolge mit deinen Etappenzielen, um die realistischen Träume in Angriff nehmen zu können. Je mehr du erreichst, umso näher wirst du deinen größeren Träumen kommen. Aktualisiere regelmäßig deine Ziele; insbesondere dann, wenn du sie erreichst und neue Ziele notwendig sind.

Nützlich ist in diesem Zusammenhang, sich an bereits existierenden Menschen und deren Geschichten zu orientieren. Was haben andere Personen in deiner Situation erreicht? Wessen Weg ist auch für dich realistisch und welche Person eignet sich als Vorbild? Was kannst du von anderen Menschen in Bezug auf deine einzelnen Etappenziele lernen? Promis, Personen aus der Weltgeschichte, Personen aus deinem Bekanntenkreis und andere, die dir einfallen, lassen sich einbeziehen. Der Vorteil von Personen, die unmittelbar in deiner Nähe sind, ist die Verfügbarkeit: Im Gegensatz zu Promis sind sie für Gespräche verfügbar, sodass ein individuelles Eingehen auf deine Bedürfnisse möglich ist. Man bezeichnet dieses Suchen von und Orientieren an Vorbildern als „Lernen am Modell". Es ist eine psychologische anerkannte Methode, bei der lediglich wichtig ist, dass du Modelle wählst, die sich in einer dir ähnlichen Situation befinden. Eine Person, die sich beispielsweise nicht so wie du durchs Leben kämpfen musste, sondern alles zu Füßen gelegt bekam, ist kein geeignetes Modell für dich.

*Gretchenfrage: Was hat das alles hier mit dem Leben in der Gegenwart zu tun?*

Zum einen fördern realistische Ziele und die Abkehr von Träumen einen Bezug zu deiner gegenwärtigen Situation. Denn falls du dich an deiner aktuellen Situation orientierst und so die Planungen für deine künftigen Handlungen erstellst, wirst du mit der höchsten Wahrscheinlichkeit erfolgreich sein. Gute Pläne festzulegen, bedeutet bereits bis zu einem gewissen Grad, in der Gegenwart zu leben.

Zum anderen hilft dir das Aufschieben oder Streichen unrealistischer Träume, im Moment zu leben. Schließlich hast du keine Ablenkung durch Träume, deren Erfüllung zum jetzigen Zeitpunkt unwahrscheinlich ist. Stattdessen widmest du dich realistischen Ziele, denen du sukzessive näherkommst – eben, weil sie realistisch und deiner gegenwärtigen Situation angemessen sind.

Man nehme als Beispiel ein Buch oder eine Festplatte: Du musst einer Person so viele Infos wie möglich hinterlassen, damit sie die anstehenden Herausforderungen meistert. Die Hürde besteht darin, dass sowohl Buch als auch Festplatte nur begrenzten Platz für Informationen haben. Entscheidest du dich nun dafür, Infos über Arbeitsschritte zu vermitteln, die acht Jahre in der Ferne liegen und aktuell noch keine Rolle spielen? Oder hinterlässt du der Person Infomaterial, das bei ihrer aktuellen Situation ansetzt und ihr Schritt für Schritt – soweit es Kapazität von Buch sowie Festplatte zulassen – den Weg von jetzt bis in die Zukunft weist? Eher Letzteres. Dein Kopf ist eine Festplatte. Je weniger fern in der Zukunft liegende Träume oder Dinge darin gespeichert sind, umso schneller und reibungsloser läuft die Festplatte.

## Zwischenfazit

*Dein Leben im Moment wird dadurch positiv beeinflusst, dass du alles aus deinem Kopf verbannst, was aktuell keine Relevanz hat. Träume sind nicht verboten, aber sie sollten sich in einem realistischen Rahmen bewegen. Dann bist du motivierter, fokussierter und lieferst am ehesten gute Leistungen in der Gegenwart.*

# Erwartungen sind wichtig, gehören aber nur bedingt in die Gegenwart

Eine wichtige Rolle im Zusammenhang mit dem Leben in der Gegenwart spielen die Erwartungen. Erwartungen haben in der Gegenwart grundsätzlich nichts zu suchen, weil sie die Zukunft betreffen. Du erwartest nichts von einem Ereignis, das schon geschehen ist. Ebenso wenig erhoffst du dir von einem Ereignis, das gerade geschieht, ein Ergebnis. Möglicherweise hast du bei dem stattfindenden Ereignis eine Erwartung an den Ausgang, aber der liegt in der Zukunft und hat nichts mit dem, was sich gerade abspielt, zu tun.

> ### Beispiel
>
> Du hast einen wichtigen Auftritt vor einem Publikum. Während du vor dem Publikum stehst und den Auftritt ablieferst, denkst du die ganze Zeit daran, wie es wohl ausgehen wird, und erwartest, dass es einen guten Ausgang für dich hat. Das Problem hierbei: Du lenkst dich durch deine Erwartungen ab. Als Folge dessen bringst du nicht die Performance, zu der du imstande wärst. Immer wieder verhaspelst du dich oder hast gedankliche Aussetzer.

Bis hierhin ist der Eindruck entstanden, dass Erwartungen in gegenwärtigen Augenblicken kontraproduktiv sind. Sie lenken vom Moment und allem, was zu ihm gehört, ab. Womöglich hast du bemerkt, dass am Anfang dieses Unterkapitels geschrieben stand: „Erwartungen haben in der Gegenwart **grundsätzlich** nichts zu suchen, weil sie die Zukunft betreffen." Grundsätzlich – worin bestehen denn die Ausnahmen?

### Erwartungen als Orientierungshilfe

Es darf bei all dem Fokus auf den Moment nicht missachtet werden, dass Erwartungen der Orientierung dienen. Sie sind identisch mit Zielen oder kleineren Etappenzielen, die du dir setzt. Wenn du z. B. das Etappenziel hast, bis Ende dieses Monats disziplinierter deine Arbeits- oder Studienaufgaben zu erledigen, um mehr Freizeit zu haben, ist deine

Erwartung, dass du dieses Ziel erreichst. Erwartungen haben also in Bezug auf die Gegenwart die Rolle, dass sie dir eine Richtung vorgeben, in die du gehst, um etwas zu erreichen.

*Hättest du keine Erwartungen, würdest du auch keine Ziele haben.*

*Hättest du keine Ziele, würdest du dich schlechter motivieren können.*

*Wäre deine Motivation gering, würde die Wahrscheinlichkeit auf Erfolg sinken.*

Du merkst an dieser Stelle – im krassen Gegensatz zu den vorigen Abschnitten –, dass Erwartungen dir als Benchmark zur Bestimmung deines Erfolgs dienen. Du setzt dir Etappenziele, um ein größeres Ziel zu erreichen. Diese Etappenziele sind mit der Erwartung verbunden, sie zu meistern.

Was ist, wenn sich diese Erwartung nicht erfüllt? Dann hast du auch dein Etappenziel nicht erreicht. Als Konsequenz nimmst du eventuell Kurskorrekturen vor, um nicht weiter zu scheitern, sondern die Etappenziele in dem gesetzten Zeitrahmen zu bewerkstelligen. Durch Erwartungen merkst du, wie erfolgreich du auf deinen Wegen und bei deinen Zielen bist. Du kannst kontrollieren, optimieren und regulieren. Ohne Erwartungen würde es an diesen Möglichkeiten mangeln.

Erwartungen können demnach nicht komplett verworfen werden. Es ist notwendig, von den nächsten drei Monaten etwas zu erwarten, um die eigenen Leistungen zu beurteilen. Der Knackpunkt ist dementsprechend nicht, ob du Erwartungen hast, sondern *wann du Erwartungen hast.*

## Erwartungen haben – so geht es richtig!

Stelle dir vor, du säßest mit deinem besten Freund im Lieblingscafé. Ihr beide habt euch mehrere Monate nicht gesehen, weil es die privaten Umstände so ergaben. Nun sitzt ihr endlich zusammen und unterhaltet euch über alles Mögliche. Ein Thema sind eure Pläne für die Zukunft. Du erzählst von der anstehenden Bachelor-Arbeit. Dein Ziel ist mindestens ein Einser-Schnitt, denn du hast alle notwendigen Qualitäten, bist ausgezeichnet im Studium und kommst auch in deinen sonstigen Studienleistungen auf einen Einser-Schnitt. Überlege jetzt eine Weile und triff dann die Entscheidung, ob es bei dieser einen Unterhaltung in dem Café falsch oder richtig ist, diese Erwartung zu haben. Bedenke: Der Einser-Schnitt ist absolut realistisch und entspricht deinem Leistungsniveau.

Die Antwort lautet: „In diesem speziellen Moment ist es absolut richtig, diese Erwartung zu haben." Denn es handelt sich um ein Ziel, das du dir setzt. Problematisch wird es mit Erwartungen, sobald du dich in der Gegenwart, während du der jeweiligen Aufgabe nachgehst, von deinen Erwartungen ablenken lässt. In der Gegenwart, während du etwas machst, solltest du ausschließlich im jeweiligen Moment sein! Dies setzt voraus, dass du dich mit voller Achtsamkeit auf den Moment konzentrierst und nicht darüber nachdenkst, was du erreichen willst. Bringe einfach dein volles Potenzial zur Entfaltung. Dann tust du das dir Bestmögliche. Auf das Beispiel mit der Bachelorarbeit übertragen, bedeutet es, dass du, während du an der Bachelor-Arbeit arbeitest, bestenfalls keinen Gedanken an deine Erwartung verschwendest. Ansonsten lenkst du dich ab, machst Flüchtigkeitsfehler oder sogar größere Fehler, kannst keinen klaren Gedanken fassen und riskierst deinen Einser-Schnitt.

## Meine Erfahrungen

Ich war früher ein talentierter Fußballspieler. Hätte ich damals begriffen, wie mentale Stärke entwickelt wird, wäre mir womöglich eine große Karriere gelungen. Aber das ist passé. Worum es mir geht: Mir standen meine Erwartungen auf dem Spielfeld im Weg. In Trainings und mehrere Stunden vor dem Spiel formulierte ich Erwartungen und setzte mir Ziele. Das war gut. Aber das Problem war, dass ich auf dem Spielfeld weiterhin an die Erwartungen dachte und mich so aus dem Moment bringen ließ: Ich hatte vor jeder Ballannahme Sorgen, die Erwartungen nicht zu erfüllen. Erwartungen sollten also im aktuellen Moment aus dem Kopf verbannt werden.

| Situation | Orientierungshilfe | Ablenkung |
|---|---|---|
| **Sport: Du hast ein Spiel.** | Wenn du dir Trainingsziele setzt und erwartest, diese zu erreichen, ist es produktiv. | Beim Spiel denkst du die ganze Zeit daran, ob dich die Leute so bewerten, wie du es erwartest. Du bist dadurch abgelenkt. |
| **Soziales / Liebe: Du verabredest dich erstmals mit einer Person.** | Du formulierst vor dem Treffen einen Plan fürs Gespräch, um es interessant zu machen und auf Fragen vorbereitet zu sein. | Du sitzt der Person gegenüber und überlegst die ganze Zeit, ob du so charmant wie geplant herüberkommst. Durch diese Gedanken bist du nicht im Moment und außerstande, der Person zuzuhören. |
| **Beruf / Schule / Studium: Du führst ein Projekt durch.** | Du legst einen Plan für die einzelnen Etappen des Projekts fest und arbeitest diese gemäß deinen Erwartungen ab. | Während des Projekts bringst du dich durch deine um das Ergebnis kreisenden Gedanken aus dem Konzept. |

Erwartungen sind Orientierung und Ablenkung zugleich. Eine wichtige Orientierung sind sie, wenn sie dir in der Gegenwart den Weg weisen, den du bei einem bestimmten Ziel zu gehen hast. Als Ablenkung fungieren Erwartungen, sofern sie dich im Moment deiner Pflicht ablenken. Es gilt daher: Formuliere Erwartungen, aber lasse sie nicht deinen Verstand beherrschen. Gehe in die jeweiligen Momente und Pflichten herein, um dein volles Potenzial ohne den Gedanken an irgendwelche anderen Dinge zu entfalten.

### Zwischenfazit

*Wenn du Erwartungen hast und diese auf der Mitte der Strecke enttäuscht werden, verurteilst du den Moment. Dies bringt dich davon ab, das Minimum einer Chance auf Erfolg zu nutzen. Bleibe daher bei der Durchführung einer Aufgabe immer ohne Erwartungen im Moment. Setze dich mit Erwartungen sowie deren Beurteilung dann auseinander, wenn du die Zeit und Ruhe dazu hast.*

## MPS Schritt 1 in Kürze

- Der Gegenwart ist eine große Aufmerksamkeit entgegenzubringen. Denn die Vergangenheit ist vorbei und man sollte sie hinter sich lassen. Die Zukunft wiederum ist nicht beeinflussbar und man sollte sie ohne Ängste oder mulmige Gefühle auf sich zukommen lassen.
- Durch den Fokus auf die Gegenwart wird die Vergangenheit losgelassen und die Zukunft geformt. Denn der beste Weg, um künftig das erträumte Leben zu leben, ist, in der Gegenwart zielführend zu handeln.
- Nützliche Übungen, um eine Sensibilität für die Gegenwart zu entwickeln und in jeder Phase des Alltags

eine größere Konzentration auf den Moment zu entwickeln, sind die PME, Meditation und ESA-Technik. Auch Sport, Gymnastik und Atemübungen jedweder Form sind hilfreich.

- Wer im Moment lebt und der Gegenwart alle Aufmerksamkeit entgegenbringt, gewinnt viele Erkenntnisse über sich selbst und die eigene Umgebung. Dadurch wird einem klarer, was die eigenen Wünsche sind und wie man leben möchte.
- Durch bedingungslosen Fokus auf die Gegenwart werden Ablenkungen reduziert: Erwartungen, Sorgen, Ängste und weitere hindernde Gedanken treten weniger oder gar nicht auf. Daher hilft dir das Gegenwartsprinzip dabei, Bestleistungen abzuliefern.
- Dank einer hundertprozentigen Konzentration auf den Moment kann das Stresslevel reduziert werden. Mehr geistige Ausgeglichenheit und Entspannung sind die Folge, was zudem die gesundheitliche Verfassung verbessern kann.
→ Leben im Augenblick führt zu Konzentration. Konzentration lässt die eigenen Schwächen vergessen. So sorgt das Gegenwartsprinzip für mentale Stärke!

# MPS Schritt 2: Erkenne deinen Wert

Die Kunst im Leben ist nicht, sich selbst schlechtzumachen oder sich mit anderen Menschen gegenseitig schlechtzumachen. Dies ist spielend leicht, wo doch jede Person online Informationen recherchieren und den Besserwisser markieren kann. Es ist einfach bewundernswert und nötigt größten Respekt ab, wenn man trotz der Makel eines Menschen dessen Wert entdecken kann. Oder noch besser: Man entdeckt *in den Makeln* den Wert eines Menschen!

> ➤ Übergewicht: Schon mal vom Künstler Peter Paul Rubens gehört, der weibliche Rundungen kunstvoll inszenierte und in Mode brachte? Grundsätzlich galt früher, beispielsweise zu Zeiten der Renaissance in Mitteleuropa, ein fülliger Körper als Symbol für Wohlstand und Leistungsfähigkeit.
> ➤ Wissenslücken: Jede Lücke ist eine Chance, neues Wissen zu gewinnen und sich zu bereichern. Viele kluge Personen haben weniger solcher Chancen, weil sie bereits alles zu wissen glauben oder weniger Anreize zum Lernen verspüren.
> ➤ Kein Geld auf dem Konto: Das macht nichts. Denn du hast ganz sicher andere Stärken. Vielleicht bist du redegewandt. Möglicherweise hast du ein unglaublich großes Wissen. Eventuell ist dein Erfahrungsschatz nicht zu toppen. Und mal ganz nebenbei: Wer kein Geld auf dem Konto hat, kann auch keines verlieren …

Alles, was negativ ist, hat auch positive Seiten. Alles, was positiv ist, hat auch negative Seiten. Du entscheidest dich dafür, welche Seite du sehen willst. Selbstverständlich soll nicht außer Acht gelassen werden, dass besondere Situationen eine Ausnahme von dieser Regel bilden. Wenn immer nur auf die positive Seite geblickt wird, besteht die Gefahr, sich vor Dingen, die man im eigenen Leben verbessern muss, zu verstecken. Dieses Kapitel bringt dir daher nicht bei, immer nur durch die rosarote Brille zu schauen. Es vermittelt dir die Fähigkeit, ein gesundes Maß aus Wertschätzung und Kritik dir selbst sowie anderen Personen gegenüber walten zu lassen.

## Wertschätzung entwickeln bedarf klarer Anhaltspunkte

Wertschätzung kommt nicht von irgendwoher: Sie muss auf der Erkenntnis basieren, dass eine Person einen Wert hat. Je überzeugter du vom Wert einer Person bist, umso mehr Wertschätzung bringst du ihr entgegen. Es braucht also – ganz einfach formuliert – Gründe, um eine Person wertzuschätzen:

> ➢ Hat die Person bestimmte körperliche oder geistige Fähigkeiten, die Anerkennung und Respekt verlangen?
> ➢ Zeichnet sich die Person durch charakterliche Züge aus, die für sie sprechen?
> ➢ Ist es der Person in ihrer Vita gelungen, bestimmte Ziele zu erreichen?

Diese Punkte sind bis hierhin einfach nachvollziehbar. Sollte eine Person ihr Gedächtnis zu einem fotografischen Gedächtnis trainiert haben, dann verdient sie Wertschätzung. Ist es der

Person gelungen, eine Ausbildung abzuschließen, so verdient sie dafür ebenfalls Wertschätzung. Es ist dabei unerheblich, welche Art von Ausbildung es ist. Hier ist der Knackpunkt: Ein Akademiker, der ein Studium abgeschlossen und eventuell sogar einen Doktortitel hat, hat in den Augen vieler Personen ein höheres Ansehen als eine Person, die an Bahnanlagen Gleisbauarbeiten verrichtet. Dem Akademiker wird ein höherer Wert zugesprochen. Es wird ein Anhaltspunkt genommen, anhand dessen der Mensch beurteilt wird.

Weißt du, welche Menschen höchstwahrscheinlich die faszinierendsten Bekanntschaften machen und anderen das bestmögliche Gefühl geben werden?

*Personen, die in dem scheinbar am wenigsten renommierten Beruf die Besonderheiten sehen und erkennen, dass auch dieser Beruf erlernt werden muss.*

*Personen, die bereit sind, über erste uninteressante Aspekte hinaus den Gesprächspartner weiter zu erforschen und beeindruckende Details im Zuge dieses Gesprächs zu entdecken.*

*Personen, die sich für jedwede Art besonderer Umstände, die eine andere Person auszeichnen, zu begeistern vermögen.*

Diese Erkenntnisse gelten einerseits für dich beim Nachdenken über dich selbst, andererseits für Gespräche mit anderen Menschen. Wenn du versuchst, dich bei jedem einzelnen Anhaltspunkt den Details zu öffnen, wirst du sogar in den einfachsten Berufen, simpelsten Tätigkeiten und feinsten Charakterzügen erkennen, wieso jeder Mensch besonders ist – und in Bezug auf seine Stärken wertgeschätzt werden sollte!

**Meine Erfahrungen**

In einer Lebensphase, in der mir nichts gelang, leugnete ich meine Fehler und kritisierte andere Menschen. Ich war so penibel bei der Kritik, dass es unerträglich war. Kein Wunder war es also, dass sich fast mein komplettes Umfeld von mir abwandte und mir wenig Wertschätzung entgegenbrachte. Es entstand ein Teufelskreis aus mangelnder Wertschätzung, mit denen ich und mein Umfeld uns gegenseitig fertigmachten. Meine Unzufriedenheit artete fast schon in Depressionen aus. Als ich Abstand nahm und mich darin übte, positive Dinge bei mir und anderen Menschen schriftlich niederzuschreiben und mehrmals zu wiederholen, kam es zu einer Änderung meiner Denkweise. Die Menschen waren überrascht, wie respektvoll und wohlwollend ich ihnen gegenübertrat. So kam es dazu, dass sie mir fast automatisch ebenfalls mehr Wertschätzung entgegenbrachten.

## Zusammenhang von Optimismus und Wertschätzung

Wertschätzung lässt sich am besten entwickeln, wenn du Dingen mit Optimismus begegnest. Optimismus meint positives Denken. Wenn du davon ausgehst, dass etwas einen guten Verlauf nehmen wird, bist du optimistisch gestimmt. Wer optimistisch denkt, wird es leichter haben, den Wert eines Menschen oder einer Sache selbst dort zu erkennen, wo er schwer zu erkennen ist. Grund dafür ist, dass die optimistische Person die Welt durch einen Filter der Zuversicht, Begeisterung und Lebenslust betrachtet. Dieser Filter führt dazu, dass sich bereitwilliger mit anderen Menschen und deren feinsten Eigenschaften auseinandergesetzt wird. Eine optimistische Person wird imstande sein, selbst in den Schwächen des Gesprächspartners oder in den eigenen Makeln etwas Gutes zu sehen.

> **Beispiel**
>
> Dir fällt der Mathematikunterricht schwer. Zum Glück hast du einen Lehrer, den seine Schüler interessieren. Er begibt sich auf eine Ebene mit seinen Schülern, indem er nachzuvollziehen versucht, wie das Leben einer jugendlichen Person heutzutage ist. Das Durcheinander der Hormone in der Pubertät, die Erwartungen des Elternhauses und der Lehrer, erwachsen zu sein und sich Herausforderungen zu stellen – diese und weitere Dinge erschweren es, immer Top-Leistungen zu liefern. Wenn einem dann auch noch ein Fach nicht liegt – wie in deinem Fall Mathe –, sind die Barrieren zu guten Leistungen umso größer. Aber der Lehrer ist Optimist. Er glaubt daran, dass er aus dir ein paar Prozent mehr herauskitzeln kann. Zu diesem Schluss gelangt er durch deine guten Leistungen im Fach Physik, das dem Fach Mathe teilweise ähnelt. Er widmet sich dir intensiver und versucht, Parallelen zwischen Mathematik und Physik zu schaffen. Dabei spendet er dir über das ein oder andere Lächeln Wertschätzung und macht absichtlich selbst einen Fehler, um Druck von dir zu nehmen.

Welche Grundsätze über Wertschätzung lernst du aus diesem Beispiel?

I. Optimismus ist der Antrieb und macht es dir einfacher, Wertschätzung zu entwickeln.
II. Sich auf eine Ebene mit Personen zu begeben und nicht abgehoben zu erscheinen, ist elementar, um zur Person durchzudringen. Dafür ist es oft notwendig, dass du versuchst, dich in die Lage der Person hineinzuversetzen.

III. Ein Lächeln hilft, denn es spendet Vertrautheit und Wärme. Es ist eine positive Art, Emotionen zu äußern. Du gehst damit sympathisch auf Menschen zu.

Wertschätzung ist keine Kunst. Sie braucht nur Zeichen bzw. Merkmale, an denen du einer Person einen Wert zuordnen kannst. Jede Person hat diese Merkmale. Wenn du optimistisch denkst, findest du sie am einfachsten. Ebenso, wie diese Regeln dein Verhalten gegenüber anderen Menschen betreffen, gelten sie auch für dein Denken über dich selbst.

---

### Übung

Jetzt wird es Zeit, dass du dir selbst Wertschätzung entgegenbringst. Wenn es dir bisher nicht gut gelungen ist, ist diese Übung von größter Bedeutung. Falls du dir selbst bisher Wertschätzung gespendet hast, verhilft dir diese Übung zu noch mehr Wertschätzung.

Nimm dir eine Liste und schreibe all deine persönlichen Merkmale – sowohl positive als auch negative – auf: äußere Eigenschaften, körperliche Fähigkeiten (auch solche, die bei der Arbeit oder beim Sport zur Anwendung kommen), geistige Fähigkeiten, Charaktermerkmale, deine Vita (von der Geburt bis zum jetzigen Zeitpunkt) und andere Dinge, die dir einfallen. Gehe bis ins Detail. Schreibe in jede Zeile ein persönliches Merkmal auf. Lasse in der Liste neben diesen Merkmalen auf der rechten Seite Platz für weiteren Text.

Im nächsten Schritt schreibst du in der rechten Seite alles Positive auf, was mit dem jeweiligen Merkmal in Verbindung steht. Wenn es mal nichts Positives gibt, lässt du es sein. Gib aber auf keinen Fall zu früh auf, falls dir nichts einfällt. Beispiel: Du bringst nichts wirklich zu Ende, sondern fängst immer gern neue Sachen an. Diese vordergründig negative Eigenschaft hat den

---

positiven Begleitfaktor, dass du gern Neues auspro-
bierst. Sich offen gegenüber neuen Dingen zu zeigen,
ist bei weitem keine Selbstverständlichkeit. Sie eröffnet
dir mehr Spielräume, weil du mit mehr Dingen, Ein-
drücken und Erfahrungen in Berührung kommst. Also
Bravo!

Im letzten Schritt versuchst du, Lösungen zu finden,
wie du die positiven Seiten der negativen Dinge (negativ: schlechtes Durchhaltevermögen; positiv: Offenheit
gegenüber Neuem) zu deinem Profit nutzen kannst.
Diese Übung hilft dir erstens, deine Stärken herauszufinden, indem sie den Fokus auf deine positiven Merkmale legt. Zweitens schafft die Übung eventuell sogar
direkt Lösungen für Probleme, die dich über eine längere Zeit beschäftigen.

## Die Folgen von Wertschätzung

*Wie führt Wertschätzung zur mentalen Stärke?*

Zunächst sei festgehalten, dass Wertschätzung dazu beiträgt,
dass du dich bzw. andere für wichtiger befindest. Wichtig zu
sein, stärkt jeden Menschen. Denn es liefert einen Grund
zum Leben. Wäre man nicht wichtig, würde ein Großteil der
Motivation schwinden. Dies kann aufs ganze Leben, aber
ebenso auf Teilbereiche des Lebens bezogen sein. Wer in der
Familie aufgrund eines Streits oder eines Missverständnisses
gebrandmarkt und nicht erwünscht ist, dem wird eventuell
das Gefühl vermittelt, unwichtig zu sein. Dieser Person bricht
ein bedeutender Rückhalt im Leben weg. In der Arbeit ist
dasselbe Szenario denkbar. Man stelle sich vor: Eine Person
baut ein Unternehmen 30 Jahre lang mit auf und ist Feuer
und Flamme dafür. Plötzlich wird die Person gegen Abfin-
dung entlassen mit der Begründung, sie könne den digitalen
Wandel nicht mehr leiten und das Unternehmen modern

ausrichten. So ein Szenario ist nicht unwahrscheinlich. Aufs Abstellgleis gestellt und für unwichtig befunden zu werden, kränkt die eigene Wertschätzung. Dies stiehlt ein Stück weit die Motivation; vielleicht sogar die generelle Lebensmotivation. Bei Wertschätzung ergibt sich das genaue Gegenteil:

*Du bist wichtig!*

*Du wirst gebraucht!*

*Deine Qualitäten sind bekannt und anerkannt!*

Diese Worte sind Balsam für deine Seele. Du gewinnst mehr Selbstbewusstsein. Mit mehr Selbstbewusstsein erhältst du Zuversicht und Mut. Einerseits vertraust du nämlich mehr in deine Stärken. Denn wenn andere dich brauchen und auf dich zählen, müssen deine Fähigkeiten besonders sein. Andererseits traust du dich wahrscheinlich eher, bei einigen Sachen ein Risiko einzugehen. Wie viel Risiko das ist, ist eine reine Typenfrage. Es kann zu viel Risiko oder eine moderate und vernünftige Menge sein. Damit solltest du dich jetzt nicht aufhalten. Denn Quintessenz ist: Du steigerst deine Risikobereitschaft und damit auch meist deine Chance auf Erfolg. Häufig ist der maximale Erfolg an ein Quäntchen Risikobereitschaft geknüpft.

Stellst du mit den gewonnenen Erkenntnissen den Zusammenhang zum letzten Kapitel her, dem Gegenwartsprinzip, dann merkst du, dass Wertschätzung dir eine bessere Gegenwart beschert. Dies erfolgt auf mehreren Wegen:

> ➤ Du erkennst deinen Wert und deine Fähigkeiten an, was die Menge an ablenkenden negativen Gedanken reduziert. Es fällt dir dadurch leichter, deinen Fokus auf den Moment auszurichten.

➢ Durch das Selbstbewusstsein und die Zuversicht vertraust du mehr auf deine Kompetenzen, was dir bei gegenwärtigen Leistungen hilft.

➢ Du bist allgemein freier im Kopf. Denn dort, wo es keine Sorgen und negativen Emotionen gibt, ist mehr Platz für absolute Gedankenfreiheit gegeben.

Je mehr Wertschätzung du Menschen entgegenbringst, umso besser fühlen sich diese Menschen. Sie beginnen, deine Gesellschaft zu mögen. Eventuell adaptieren sie deine Sichtweise, sodass ihr euch gegenseitig aufbaut und bei Laune haltet. Wertschätzung, die auf Gegenseitigkeit beruht, ist ein wunderbarer Nährboden für den Aufbau angenehmer zwischenmenschlicher Beziehungen. Du gewinnst in Form von Kontakten, die dich wertschätzen, Gesprächspartner, die für dich ein Rückhalt in schweren Phasen sind. So kommt die mentale Stärke auch von außen zu dir.

**Zwischenfazit**

*Wenn du dich und andere Personen wertschätzt, gewinnst du Zuversicht, Mut, Selbstvertrauen und aufbauende soziale Kontakte. All diese Ressourcen stärken dich selbst mental und helfen dir dabei, ein mental stärkendes Umfeld aufzubauen. Dieses Umfeld hilft nicht nur dir, sondern du hilfst ebenso den darin befindlichen Personen.*

## Rede es dir ein, und es wird sein!

Bis hierhin hast du die positiven Dinge an dir und den Mitmenschen erkannt. Für die Wertschätzung gegenüber Mitmenschen reicht das schon. Aber für die Wertschätzung gegenüber dir selbst reicht es noch nicht aus. In einfacheren Worten: Wenn du in Gesprächen oder Chats deinen Mitmenschen auf irgendeine Weise deine Wertschätzung ausdrückst, hast du bereits dein Bestes getan, um gut mit ihnen klarzukommen. Deine Aufgabe ist es nicht, Therapeut zu spielen und ihnen immer wieder zu sagen, wie wichtig sie sind. Auf Dauer kann das zu aufdringlich wirken. Wenn eine Person dich um Hilfe bittet oder Selbstzweifel äußert, darfst du gern häufiger mit der Person reden und ihr Mut machen. Aber ansonsten reicht die Wertschätzung, die du nebenbei in Gesprächen suggerierst, vollkommen aus. Diese Wertschätzung suggerierst du durch Lächeln, Interesse für die Themen, die die Person anspricht, und generell eine offene Haltung mit dem ein oder anderen Lob zwischendurch. Anders ist es aber gegenüber dir selbst: Da du dieses Buch liest, hast du wahrscheinlich mentalen Besserungsbedarf bei dir selbst festgestellt. Falls du merkst, dass deine Probleme in einer geringen Selbstwertschätzung liegen, sind dir die bisherigen Lehren in diesem Kapitel eine Hilfe, aber nur eine kleine. Wichtig ist, dass du die Lehren immer wieder aufarbeitest. Wenn du gemerkt hast – um am vorigen Beispiel anzusetzen –, dass deine offene Haltung gegenüber Neuem deine Stärke ist, solltest du dir dies regelmäßig ins Gedächtnis rufen. Tust du es nicht, dann bleibst du höchstwahrscheinlich auf dem Stand von früher und siehst anstelle der positiven Offenheit dein mangelndes Durchhaltevermögen als negativen Aspekt. Schließlich bist du in deiner Denkweise eine negative Selbstwahrnehmung gewöhnt. Negativ muss zu positiv werden! Hierfür eignet sich am besten eine Umgewöhnung deiner Gedanken.

**Hinweis!**

Die Umgewöhnung deiner Gedanken vom Negativen zum Positiven, vom Misserfolg zum Erfolg, vom Pessimismus zum Optimismus ist ein wesentlicher Part meines Buches „*Gewohnheiten der Gewinner*". Im diesem Titel erhältst du rund ein Dutzend Übungen, um die

Gedanken aufs Positive und auf Erfolg zu programmieren. Mit der Umgewöhnung deiner Gedanken arbeitest du an deinem Unterbewusstsein. Das Unterbewusstsein ist eine Ansammlung automatisierter Handlungs- und Denkprozesse. Sie laufen automatisiert ab, weil du sie dir angewöhnt hast. Gelingt es dir, die Automatismen so zu gestalten, dass du positiv denkst und dementsprechend handelst, dann gehst du einen entscheidenden Schritt in Richtung Erfolg. Die Umprogrammierung der Gedanken funktioniert auch im Zusammenhang mit der Wertschätzung.

Eine nützliche Übung, damit du deine Gedanken auf Selbstwertschätzung programmierst, funktioniert über Affirmationen. Affirmationen sind positive Glaubenssätze. Deren Trick besteht darin, dass du dir anhand bestimmter Sätze immer wieder deine Stärken vor Augen führst. Wieder am Beispiel vorhin anknüpfend, wäre eine passende Affirmation: „Ich bin offen gegenüber Neuem." Dieser Glaubenssatz kann fortgesponnen werden, indem du dir die Vorteile deiner Offenheit vor Augen führst: „Ich berichte Menschen immer wieder von meinen neuen Erlebnissen und Erfahrungen. In Gesprächen bin ich eine interessante Wundertüte. Die Menschen mögen mich deswegen." Du redest dir ein – das „Einreden" ist in diesem Fall nicht negativ gemeint, weil es sich an deinen tatsächlichen Stärken orientiert –, dass du eine gewisse Stärke hast. Je öfter du diesen Vorgang wiederholst, umso mehr ersetzt ein positiver Glaubenssatz die negativen bisherigen Gedanken. Du denkst nicht mehr daran, dass du Aufgaben abbrichst. Stattdessen siehst du deine Stärke. Die mentale Stärke ist also in dir drin. Du musst sie nur an die Oberfläche holen!

## Übung

Du dürftest aufgrund der bisherigen Erläuterungen und des vorgestellten Beispiels nun selbst eine Reihe an Stärken auf deiner Liste stehen haben, die du aus deinen Schwächen abgeleitet hast. So wie aus mangelndem Durchhaltevermögen eine lobenswerte Offenheit gegenüber Neuem wurde, kannst du allen deinen Schwächen etwas Positives abgewinnen. Diese positiven Erkenntnisse schreibst du als Glaubenssätze auf ein anderes Blatt Papier. Wichtig: Pro Glaubenssatz verwendest du ein Blatt Papier. Um die Verschwendung von Papier gering zu halten, darfst du gern ein DINA4-Blatt in zwei oder vier kleinere Blätter teilen. Jedes Blatt klebst du in deiner Wohnung mit Tesafilm irgendwo an. Ein Blatt kann gegenüber der Toilette aufgehängt werden. Das andere Blatt ist eventuell an deinem Kühlschrank gut platziert. Wieder ein anderes Blatt macht sich vielleicht auf der Innenseite deiner Haustür gut. Optimal ist es dann, wenn du tagsüber mehrmals mit den Blättern konfrontiert wirst. Nimm dir Zeit, den jeweiligen Glaubenssatz mehrmals vorzulesen. Lege zusätzlich zur zufälligen Konfrontation mit den Blättern bzw. Glaubenssätzen täglich ein bestimmtes Zeitfenster fest, in dem du zehn Minuten lang die Glaubenssätze mehrmals hintereinander laut vorliest. Du wirst dich mit der Zeit daran gewöhnen, die Stärke zu denken, die du im Glaubenssatz niedergeschrieben hast.

Wertschätzung gegenüber sich selbst erfordert Übung. Du kannst darauf hoffen, dass du ohne das Aufschreiben und Wiederholen der Glaubenssätze das Problem gelöst hast. Die allererste Aufgabe in diesem Kapitel allein wird aber nicht ausreichen, um diese Hoffnung zu erfüllen. Die Stärke-Schwächen-Liste aus der ersten Aufgabe dieses Kapitels zu machen, ist nur ein erster Schritt, der vergleichbar mit einem Lageplan oder einer Navi-Route ist. Du siehst, dass es einen Weg gibt, selbstbewusst zu sein und die eigenen Stärken zu fokussieren. Aber der Weg dahin muss gegangen werden. Dafür ist die Übung mit den Affirmationen erforderlich.

### Zwischenfazit

*Formuliere Glaubenssätze. Schreibe sie auf mehrere Zettel. Hänge die Zettel in deiner Wohnung in häufig besuchten Ecken auf und konfrontiere dich mit den Glaubenssätzen. Wiederhole sie immer wieder, auch als Ritual an festen Tageszeiten. Mit der Zeit gewöhnst du dich daran, deine Gedanken positiv zu gestalten.*

## Vorsicht! Wann ist es zu viel der Wertschätzung?

Kann es zu viel Wertschätzung geben? Es hängt ganz davon ab, wie Wertschätzung praktiziert wird. Grundsätzlich bedeutet Wertschätzung nicht, sich selbst oder andere über den grünen Klee zu loben. Wertschätzung allgemein ist eine positive, respektvolle und wohlwollende Grundhaltung gegenüber einer Person oder sich selbst. Lob und Anerkennung sind Instrumente, die unter einer Vielzahl anderer Instrumente dazu dienen, Wertschätzung zu äußern. Aber notwendig für die Äußerung von Wertschätzung sind sie nicht. Wenn sie zu häufig und übertrieben zum Einsatz kommen, sind Lob und Anerkennung sogar gefährlich. Sie bergen das Risiko, dass an Schwächen nicht gearbeitet wird und Probleme nicht wahrgenommen werden. Das ist die Antwort auf die Frage, wann es zu viel Wertschätzung ist: Wenn sie in einer Überdosis zum Einsatz kommt.

Was die Überdosis ist, entscheidet sich je nach individuellem Kontext. Eine gute Leitformel für dich ist: Wenn du merkst, dass die Wertschätzung zur Weiterentwicklung und einer

Verbesserung der Situation beiträgt, machst du alles richtig. Wenn die Wertschätzung verhindert, dass du dich weiterentwickelst, weil du auf jedes Problem durch die rosarote Brille schaust und es ignorierst, ist die Wertschätzung zu hoch dosiert. Weil das Beispiel in den letzten Absätzen häufig zum Einsatz kam und Schritt für Schritt nachvollzogen wurde, lohnt es sich, nochmals darauf zurückzugreifen:

*Ist es gefährlich, wenn du bei dir ein mangelndes Durchhaltevermögen feststellst, aber diese Schwäche ignorierst, indem du dir ersatzweise eine Offenheit gegenüber Neuem als Stärke zusprichst?*

Ja und Nein. Komplettes „Ignorieren" von Schwächen ist nie gut. Du solltest deine Schwächen immer auf dem Schirm haben und aufmerksam beobachten. Die Übungen in diesem Kapitel dienten nicht dazu, die Schwächen aus deinem Bewusstsein zu verbannen. Sie dienten dazu, dir dabei zu helfen, *in erster Linie* die Stärken zu fokussieren, dich zu motivieren und dich optimistisch zu stimmen. Aber die Entwicklung deiner Schwächen solltest du trotzdem beobachten. In diesem Sinne lautet die Antwort auf die obige Frage: Falls du die Schwäche ignorierst, ist eine solche Form der Wertschätzung gefährlich. Aber falls du die Schwäche auf dem Schirm hast und regelmäßig kritisch untersuchst, ob sich durch die positive Denkweise etwas verbessert hat, ist die Wertschätzung nicht gefährlich.

Wird die Bedeutung des Wortes „Wertschätzung" genau analysiert, dann ist Wertschätzung nie gefährlich. Aber für eine maximal adäquate Erklärung dessen, was Wertschätzung bedeutet, reicht die Kapazität dieses Buches nicht. Du wirst es üben und dir durch Erfahrungswerte selbst erschließen. In der vereinfachten Form, in der du die Wertschätzung in diesem Kapitel gelernt und dir selbst sowie anderen gegenüber zu entwickeln lernst, gelten die ausführlichen und mit Beispielen belegten Erklärungen.

**Zwischenfazit**

*Wertschätzung bedeutet – trotz all des Fokus auf positive Gedanken und Stärken – nicht, seine Schwächen außer Acht zu lassen. Ziel ist es, die Schwächen nicht mehr die eigene Gedankenwelt dominieren zu lassen, sodass sie die mentale Verfassung prägen. Eine regelmäßige kritische Auseinandersetzung mit den persönlichen Defiziten bleibt für die Weiterentwicklung unerlässlich.*

# Körperliches Wohlbefinden für mehr Wertschätzung

Die Rechnung „Körperliches Wohlbefinden + mentales Wohlbefinden = Wertschätzung" rundet dieses Kapitel ab. Weil das mentale Wohlbefinden den größten Einfluss auf die Wertschätzung ausübt, hatte es den größten Anteil an diesem Kapitel. Du bist angehalten, die Listen-Übungen und Affirmationen fortzusetzen. Sie sind die wichtigste Komponente, um dir selbst gegenüber Wertschätzung auszudrücken und auch anderen Menschen ein Gefühl der Wertschätzung zu schenken.

Bei der Selbstwertschätzung üben Maßnahmen zum körperlichen Wohlbefinden mutmaßlich einen kleinen Einfluss aus. Zuallererst sorgt körperliches Wohlbefinden dafür, dass aus körperlichen Gründen resultierende Schmerzen, Unwohlsein oder mangelnde Konzentration weniger wahrscheinlich sind. So steigern sich deine Leistungsfähigkeit und Stimmung. Eine besonders gute körperliche Verfassung, wie man sie nach einem Wellness-Wochenende haben könnte, hat das Potenzial, außerordentlich stark zum körperlichen Wohlbefinden beizutragen, sodass auch die Selbstwertschätzung merklich beeinflusst wird. Ferner ist es mit dem körperlichen

Wohlbefinden so, dass der Mensch es durch spezielle Maßnahmen herstellt. Entweder ist eine grundsätzlich gesunde
Lebensweise vorhanden oder aber es wird zu speziellen
Mechanismen gegriffen: Massagen, Saunagänge, Urlaube
u. Ä. Diese speziellen Maßnahmen haben manchmal den
Charakter einer Belohnung. Wann sind Belohnungen denn
angebracht? Meistens dann, wenn man irgendetwas geschafft
hat, was eine Belohnung verdient. Diese Sache muss man
erstmal hinbekommen. Ist dies gegeben, dann besteht auch
der Grund, sich wertzuschätzen und dafür zu belohnen.
Belohnungen wie diese sind im Unterbewusstsein häufig mit
Wertschätzung assoziiert. Wenn du also zu einer Belohnung
greifst, kann es sein, dass dies automatisch das Gefühl von
Wertschätzung in dir aktiviert. Demnach ist es für die Selbstwertschätzung in mehrfacher Hinsicht vorteilhaft, sich mit
Maßnahmen zum körperlichen Wohlbefinden zu belohnen.
Achte darauf, dass es nicht zu viele Maßnahmen werden. Sie
sollten weder deinen Finanzen merklich schaden (Massagen
beispielsweise sind kostspielig) noch dich von der Arbeit an
dir selbst abhalten. Die Maßnahmen sollten immer einen
Besonderheitswert haben, ansonsten gewöhnst du dich mit
der Zeit daran und die aus der Maßnahme gewonnene Selbstwertschätzung sinkt. Gehe also sparsam mit diesen Maßnahmen um, aber verzichte unter keinen Umständen darauf,
deinem Körper einmal die Woche oder einmal alle zwei
Wochen einige Stunden lang etwas Gutes zu tun. Gesunde
Ernährung, Sport und moderate Bewegung als Maßnahmen
zu körperlichem Wohlbefinden dürfen natürlich häufiger
praktiziert werden als Massagen, weil sie ein dauerhaft wichtiger Beitrag zur menschlichen Gesundheit sind.

> **Zwischenfazit**
>
> *Körperliches Wohlbefinden beeinflusst die Selbstwert-schätzung weniger als die mentalen Maßnahmen, ist jedoch ebenfalls ein Einfluss. Regelmäßige Maßnah-men zur Steigerung des körperlichen Wohlbefindens und eine dauerhaft gesunde Lebensweise fördern deine Selbstwertschätzung.*

# MPS Schritt 2 in Kürze

- Stärken und Schwächen sind Ansichtssache. Jede Stärke bringt Schwächen mit sich. Ebenso bringt jede Schwäche Stärken mit sich. Ziel ist es, sich auf die positiven persönlichen Merkmale zu konzentrieren.
- Positive Gedanken über sich selbst und andere führen zu Wertschätzung. Wertschätzung bedeutet nicht, blind zu loben und die Augen vor den Schwächen zu verschließen. Stattdessen geht es darum, eine respekt-volle, wohlwollende und positive Haltung einzuneh-men.
- Wer eine solche Haltung einnimmt, aber nach wie vor an seinen persönlichen Schwächen arbeitet, fährt einen optimalen Kurs im Leben.
- Wertschätzung trägt zu mehr Selbstvertrauen bei. Die eigenen Fähigkeiten werden zuversichtlich und offensiv umgesetzt, was ein wichtiger Faktor ist, um beste Leistungen abzurufen und erfolgreich zu sein.
- Bei Wertschätzung gegenüber anderen Menschen ist die Wahrscheinlichkeit hoch, dass man als sym-

pathisch aufgefasst wird, gemocht wird und ebenfalls Wertschätzung erfährt. Durch die Gegenseitigkeit kommt es zu positiven menschlichen Beziehungen und Gesprächen, was einen mental festigt.

→ Schenke deinen Stärken die meiste Aufmerksamkeit, während du deiner Schwächen gewahr bist und an ihnen arbeitest. Begegne Menschen respektvoll und wohlwollend auf einer Ebene. So hilft dir das Wertschätzungsprinzip beim Erlangen mentaler Stärke!

# MPS Schritt 3: Was du wirklich willst, wirst du auch tun!

Entschlossenheit bedeutet nicht, dass du etwas willst. Wollen ist zwar ein möglicher Initiator von Entschlossenheit, aber noch längst keine Garantie dafür. Du kannst zum Beispiel abnehmen wollen, um dein Traumgewicht zu erreichen. Aber wollen das nicht viele Personen? Trotzdem scheitern sie an den Hindernissen. Weil sie nicht entschlossen sind. Denn Entschlossenheit bedeutet, sich gegen Widerstände durchzusetzen. Du kennst die Widerstände vorher und bereitest dich auf sie vor, um deine Sache trotzdem durchzuziehen. Oder es kommen spontan unerwartete Widerstände auf: Auch in diesem Fall kennst du kein Wenn und Aber, denn du bist entschlossen.

Entschlossenheit kann mit Formulierungen wie „gern haben", „würde gern" oder „sollte eigentlich" nur wenig anfangen. Entschlossenheit kennt kaum bis keine Kompromisse. Wer einen Entschluss fasst, setzt das Vorhaben in die Tat um. Wenn du in der Gegenwart lebst, zuversichtlich ein Vorhaben fasst, selbstbewusst bist und durch die Entschlossenheit alle Hindernisse ausblendest, handelst du mental stark. In diesem Kapitel lernst du, was dazugehört, um entschlossen zu sein. Mittels der Erkenntnisse und Übungen trainierst du deine Entschlossenheit direkt. Weil das „Wollen" oder „Müssen" zwar nicht gleichbedeutend mit Entschlossenheit ist, aber der wichtige Initiator, um überhaupt entschlossen sein zu können, beginnst du in diesem Kapitel genau an diesem Punkt: Wollen, müssen oder lassen!

## Wenn du es nicht willst oder musst, dann lass es!

Ein Mangel an Entschlossenheit kann sogar gefährliche Auswirkungen haben. Das beste Beispiel hierfür liefert Bernhard Moestl in seinem Werk *Shaolin – Du musst nicht kämpfen, um zu siegen* (2008). Darin beschreibt er die Vorbereitungen von Reisenden für Ausflüge in gefährliche Teile der Welt: Sie würden planen, eine Schusswaffe mit sich zu führen, um sich im Falle eines Angriffs verteidigen zu können. Wer aber zuvor noch nie mit einer Waffe auf einen Menschen gezielt habe, würde nicht bedenken, dass zur Betätigung des Abzugs eine Entschlossenheit dazugehört; schließlich nehme man einem Menschen das Leben … Die meisten Personen würden die Waffe eventuell noch ziehen, aber abdrücken würden die wenigsten. Der Angreifer hingegen könnte beim Anblick der Waffe aggressiv werden. Schlimmstenfalls würde er die Waffe an sich reißen und gegen die Person verwenden.

Dieses Beispiel, das anhand einer lebensgefährlichen Situation demonstriert, wie wichtig Entschlossenheit ist, lässt sich auch auf kleinere Sachverhalte übertragen:

> ➢ Der Absolvent eines Studiengangs hat ein brillantes Jobangebot erhalten. Zudem hat er vor kurzem seinen Führerschein gemacht. Da er kein „normaler" Fahranfänger ist, sondern ein Fahranfänger mit einem sehr guten Verdienst in seinem neuen Beruf, entschließt er sich dazu, sich über Leasing einen Sportwagen zu finanzieren. Der einzige Grund, diesen Wagen und nicht einen guten Mittelklassewagen zu holen, sind für ihn die rund 400 PS. Er möchte am Wochenende einfach mal „die Sau rauslassen" und über die

Straßen heizen. Aber als Fahranfänger? Tatsächlich bekommt er im Fahrzeug Muffensausen. Er nutzt als Fahranfänger die Leistung und Geschwindigkeit des Fahrzeugs nicht mal ansatzweise aus. Ihm fehlt – und das ist als Fahranfänger bei solch einem Gefährt nur vernünftig – der Mut, voll aufs Gaspedal zu drücken. Nun hat er einen zu teuren Wagen geleast, an den er zwei Jahre gebunden ist.

*Mangel an Entschlossenheit hat das Potenzial, Käufe von Luxus- und ebenso normalen Artikeln überflüssig zu machen. Es sollte vorher überlegt werden, ob man entschlossen sein wird, das auffällige Kleidungsstück zu tragen, das Potenzial des Sportwagens voll auszureizen und andere Spielräume wahrzunehmen.*

> ➤ Du hast einen sehr guten Freund. Ihr beide versteht euch prima. Es liegt ein Hauch Liebe in der Luft. Der Haken ist, dass die Person vor wenigen Monaten eine Beziehung beendet hat und der ehemaligen Partnerin nachtrauert. Die Person fühlt sich zu dir hingezogen, aber ist nicht wirklich bereit, eine neue Beziehung zu beginnen. Du überzeugst die Person aber durch deine Liebenswürdigkeit und deine sonstigen Eigenschaften, die sie an dir wertschätzt, eine Beziehung zu versuchen. Schlussendlich ist die entstandene Beziehung zum Teil erzwungen. Ihr beide wusstet in eurem tiefsten Inneren, dass die Offenheit für eine neue Beziehung bei deinem Freund (noch) nicht komplett gegeben war. Von nun an ist alles, was ihr macht, ebenso wie die Beziehung selbst, von Unentschlossenheit begleitet: die sexuelle Interaktion, die Gespräche, die Aktivitäten, jede einzelne Umarmung. Die Beziehung zerbricht und durch die negativen Erlebnisse sind der Freundschaft Steine in den Weg gelegt worden. Es ist nichts mehr so wie früher.

*Menschen sollten in ihren Beziehungen ehrlich und vertrauenswürdig vorgehen. Die Beziehung – in welcher Form auch immer – sollte komplett freiwillig sein. Nur so fühlt sich jede Person in ihrer Rolle wohl. Demnach sollte die Rollenverteilung genau kommuniziert und überdacht werden, um entschlossen und mit voller Hingabe gemeinsam zu interagieren.*

## Meine Erfahrungen

Ich hatte eine sehr gute Freundin, mit der ich vor vielen Jahren zusammen war. Nach der Trennung entstand die besagte Freundschaft. Diese Freundschaft hielt fünf Jahre. Die Frau war in der Zwischenzeit mit einem anderen Mann zusammen. Sie war jung und es war nach mir erst ihre zweite Beziehung. Der Mann war das, was man in der Umgangssprache wohl einen „Bad Boy" nennt: Vorstrafen, Aggressionen, Beleidigungen gegenüber anderen Menschen. Sie gab sich ihm aber voll hin. Nach Ende der Beziehung war sie nicht mehr dieselbe. Ich merkte in unseren Gesprächen, dass sie ihm immer noch hinterhertrauerte. Denn zu ihr war er immer gut gewesen. Sie war über ihn nicht hinweg. Ich merkte es. Trotzdem schlug ich wenige Monate nach ihrer Trennung vor, dass wir es nochmal mit einer festen Beziehung versuchen könnten. Ich musste sie kaum überzeugen, denn aufgrund unserer früheren Beziehung und der guten Freundschaft hatte sie Vertrauen. Die Beziehung platzte nach wenigen Monaten, weil sie in Gedanken immer noch bei ihrem Ex war. Sie ließ sich nicht berühren, wir konnten nicht mehr so offen wie in unserer Freundschaft miteinander reden. Sie war eine Beziehung eingegangen, zu der sie nicht bereit war – und ich selbst hatte es in meinem tiefsten Inneren gewusst. Es war schlussendlich kein Wunder, dass wir uns schnell trennten. Denn die Entschlossenheit hatte gefehlt; vor allem bei ihr, weil sie sich nach ihrem Ex

> sehnte. Mein Mitleid, das mich zur Beziehung antrieb, war auch kein Antreiber für Entschlossenheit. Es war äußerst fragwürdig von mir, die Freundschaft auf diese Weise zu belasten. Bis heute haben wir nach der Trennung kaum ein Wort gewechselt.

Kauf von Dingen, zwischenmenschliche Beziehungen, Entscheidungen im eigenen Leben, Gestaltung der Freizeit. Alles wird idealerweise mit Entschlossenheit begangen. Die Beispiele zeigen, wieso: Entschlossenheit führt zu konsequenten Handlungen. Konsequente Handlungen wiederum begünstigen, dass die eigenen Fähigkeiten und Qualitäten am besten umgesetzt werden. Hier tut sich der aufbauende **Zusammenhang zu den letzten beiden Kapiteln** auf: Du bist in diesem Augenblick dabei, einer Aufgabe nachzugehen. Dein Fokus ist optimal, du bist voll im Moment. Aufgrund deiner Selbstwertschätzung fühlst du dich gut und vertraust in deine Fähigkeiten. Weil du realistische Ziele verfolgst und dir voll und ganz sicher bist, dass sie deinen Wünschen und deinem Willen entsprechen, bist du entschlossen. Diese Entschlossenheit führt zu mehr Enthusiasmus bei deinen Handlungen. Je stärker die Entschlossenheit ist, umso weniger schenkst du sogar hartnäckigen Hürden (z. B. Angst, negatives Zureden anderer Personen, bisheriges Scheitern) Beachtung.

Es gibt zwei Faktoren, die Entschlossenheit begünstigen: Wollen und Müssen. Das, was im Leben gemacht werden muss, machst du idealerweise auch. Kinder zur Schule bringen, zur Arbeit gehen, fürs Studium lernen, für kranke Eltern oder Freunde sorgen und ähnliche Aufgaben sind meist Sachen, die du machen musst. Wenn dir bei diesen Beispielen etwas auffällt, dann, dass sie meist mit „Wollen" verknüpft sind. Willst du deine Kinder nicht auch zur Schule bringen, weil dir wichtig ist, dass sie im Leben dazulernen und gebildet erwachsen werden? Willst du nicht studieren, um später einmal ein finanziell gesichertes Leben zu haben? Willst du nicht für deine Eltern sorgen, weil du sie liebst und sie immer für dich gesorgt haben?

Tatsache ist, dass wir diese Dinge machen müssen. Aber „Müssen" allein ist nicht nachhaltig. Stelle dir vor, du würdest dir in deinem Leben nur Pflichten auferlegen und demzufolge nur das machen, was du machen musst. Der Mensch ist keine Maschine. Bei einem reinen Pflichtprogramm drohen Burn-outs, Depressionen sowie andere psychische und – je nach Art der Aktivität – körperliche Erkrankungen. Einige Sachen müssen gemacht werden, aber wichtig sind im Leben die Sachen, die eine Kombi aus „Müssen und Wollen" oder das reine „Wollen" sind. Beim „Müssen und Wollen" bestehen durch deinen Willen mehr und attraktivere Anreize, um einer Sache nachzugehen. Je stärker der Wille und je größer die Anreize sind, umso stärker fällt die Entschlossenheit aus.

Eine Herausforderung hat das „Wollen": Du musst dich entscheiden. Während du bei „Müssen und Wollen" oder reinem „Müssen" meist durch externe Faktoren die Entscheidung abgenommen bekommst, ist es beim reinen „Wollen" anders.

### Beispiel

Sicher ist, dass du arbeiten *musst*. Nur wenige Personen sind aufgrund ihres Wohlstands oder ihres Alters im Vorteil und müssen nicht arbeiten. Der Großteil der erwachsenen Menschen muss arbeiten. Welchen Beruf du ausübst, entscheidest du jedoch vor deiner Ausbildung, dem Studium oder generell bei der Auswahl des Jobs. Möglicherweise sind die Wahlmöglichkeiten eingeschränkt, aber bei der Auswahl entscheidest du dich idealerweise dennoch dafür, was du *willst*. Die Herausforderung ist die Entscheidungsfreiheit.

Bei allen Entscheidungen, bei denen du komplett oder zum Teil einen freien Willen und mehrere Entscheidungsoptionen hast, hast du also die sprichwörtliche Qual der Wahl. Dieses Problem ist in heutigen Zeiten größer als noch vor mehreren Jahrzehnten oder gar Jahrhunderten. Früher war der eigene Berufs- oder Lebensweg zu Teilen vorab definiert. Beispielsweise war es nicht unüblich, dass die jungen Männer den Beruf ihres Vaters fortführten. Die jungen Frauen wurden nicht selten – im englischen Adel des 19. Jahrhunderts beispielsweise – zwangsverheiratet. Ehen sollten einen Nutzen haben und idealerweise neue Wohlstandsverhältnisse schaffen. Früher waren weniger Optionen für Entscheidungen gegeben. Dies war selten gut, denn das Leben war zu einem hohen Anteil fremdbestimmt.

Heutzutage ist zumindest in Mitteleuropa das Gegenteil der Regelfall: Du stehst einem Überfluss an Entscheidungsmöglichkeiten gegenüber. In der digitalisierten und durch Vernetzung perspektivreichen Welt kommt es dazu, dass es den Menschen tendenziell schwerer fällt, sich für eine Sache zu entscheiden. Zwar ist in Deutschland eine finanzielle und bildungstechnische Ungleichheit gegeben, aber es lässt sich nicht leugnen, dass zahlreiche Förderprogramme vor allem jungen Leuten aus verschiedensten Gesellschaftsschichten nach der Schule, für die Ausbildung und für das Studium, eine Fülle an Perspektiven auf dem Silbertablett offerieren: Auslandsstudium mit Bafög als finanzieller Hilfe? Freiwilliges soziales Jahr? Nach der Schule ein Sabbatjahr nehmen, ordentlich Geld verdienen und dann die Welt bereisen? So dreht sich das Rad der schier endlosen Möglichkeiten bei vielen Menschen. Irgendwie wollen einige Menschen dann am liebsten alles zusammen; nämlich …

> ➤ Influencer über die sozialen Medien werden und mit ein paar Posts den Lebensunterhalt verdienen,
> ➤ nebenbei das Leben innerhalb einer vierköpfigen Familie meistern,

➢ dem Hauptberuf nachkommen, weil als Influencer noch nicht ausreichend verdient wird,

➢ aber auch ein Studium wäre spannend, das immerhin als Fernstudium flexibel planbar ist und nicht mal ein Abitur erfordert.

➢ Zudem ist da noch die Diät, für die man am liebsten jeden Tag drei Stunden frisch kochen würde.

Alles auf einmal? Unmöglich. Aber auch solche Personen, die weniger Möglichkeiten haben und in ihrem Leben kaum Privilegien genießen, haben immerhin mehr Optionen als Menschen in derselben Situation vor mehreren Jahrzehnten.

Jetzt wird es wichtig, sich an den ersten Schritt – nämlich das Gegenwartsprinzip – zurückzuerinnern. Denn wie du weißt, zeigt dir die Gegenwart, was in deiner jetzigen Lebenssituation realistisch und möglich ist. Die Auflistung von eben mit den Sachen, die am liebsten allesamt gleichzeitig gemacht werden würden, ist ein Beispiel dafür, was alles möglich sein kann. Die Dinge einzeln für sich sind nicht unrealistisch. Aber alles auf einmal zu machen, ist unrealistisch. Durch eine Überforderung brechen nach und nach die einzelnen Ziele weg, weil sie mit deinen zeitlichen Kapazitäten nicht allesamt konsequent verfolgt werden können. Überforderung und fehlende Priorisierung sind häufig ein Grund für mangelnde Entschlossenheit. In diesem Sinne schaffen wir den Zusammenhang zum ersten Schritt; also dem zweiten Kapitel: Du erinnerst dich an die Übung aus dem ersten Schritt, in der es um Realismus und Märchenschlösser ging? Hole die Liste wieder hervor. Du hast in der Übung auf Basis deiner zeitlichen Kapazitäten sowie Ressourcen realistische Ziele festgelegt. Diese sind, weil sie realistisch sind, für dich erreichbar. Aber bist du wirklich entschlossen, sie auch zu erreichen? **Prüfe es!**

Das „Wollen" einer Sache oder eines Ziels fördert zwar die Entschlossenheit, ist aber nicht gleichbedeutend mit mehr Entschlossenheit. Falls du einfach nur willst, aber nicht entschlossen bist, den notwendigen Input (z. B. körperliche Arbeit, Denkarbeit, Geld, Geduld) einzubringen, ist das „Wollen" für dich eher eine Belastung als eine Hilfe. Wollen ohne Entschlossenheit – das ist wie Arbeiten ohne volle Hingabe. Du schöpfst nicht dein Potenzial aus. Auch lässt du dich eher ablenken. Es ist jetzt die Zeit für dich, mit der Liste aus der Realismus-Märchen-Übung, in der du deine Ziele formuliert hast, weiterzuarbeiten. Es müssen die Ziele ermittelt werden, zu denen du auch wirklich entschlossen bist.

---

### *Übung*

Überlege, welches der aufgeschriebenen Ziele du schon längst hättest erreicht haben können. Bei welchem Ziel hast du schon mehrere Anläufe gestartet, aber keinen konsequent durchgezogen? Überlege, ob es an mangelnder Entschlossenheit lag oder die Herangehensweise falsch war. Wenn dir keine alternative Herangehensweise einfällt und du Zweifel hegst, dein Ziel zu erreichen, bist du höchstwahrscheinlich nicht entschlossen. Dir fehlt wohl noch das letzte Quäntchen Motivation, um dem Ziel zu folgen. Schiebe es daher beiseite, sofern dies möglich ist, und prüfe alle anderen Ziele. Im Idealfall ist das Endergebnis, dass auf der Liste deine realistischen Ziele stehen, die sich an deinen Wünschen und Träumen bemessen. Du bist entschlossen, diese Ziele zu erreichen. Die Entschlossenheit zeichnet sich dadurch aus, dass du die Sache nicht aufschiebst und konsequent durchführst. Falls es an der Durchführung hapert, bist du zumindest kreativ und findest verschiedene Lösungsansätze, um es immer wieder aufs Neue zu versuchen. So macht sich Entschlossenheit erkenntlich – nicht durch eine perfekte, aber beständige und kreative Arbeit an den eigenen Vorhaben.

---

**Zwischenfazit**

*Wollen und Müssen sowie die Mischung aus beidem sind vorteilhaft für deine Entschlossenheit. Aber sie sind keine Garanten für entschlossenes Handeln. Kürze daher deine Pläne um die Dinge, zu deren Erreichung du nicht bereit bist, alle Hindernisse zu überwinden.*

## Mit der Entschlossenheit kommt die mentale Stärke

Entschlossenheit steht in direkter Verbindung zu mentaler Stärke. Sie gibt dir zum einen Sicherheit. Wenn du zu etwas entschlossen bist, bist du dir sicher, es durchzuziehen. Diese Sicherheit verhindert, dass du dich unnötigerweise in Frage stellst. Das In-Frage-stellen ist vorbei – das hast du mit den vorigen Übungen bereits hinter dich gebracht und nun stehen die realistischen Ziele auf deinem Zettel, die du auch wirklich durchführen wirst! Verinnerliche diesen Gedanken: *„Alles, was auf deinem Zettel mit Zielen steht, werde ich wirklich durchführen!"*

Dieser unerschütterliche Gedanke bedeutet: Entschlossenheit. Neben der Sicherheit verleiht dir die Entschlossenheit Konsequenz im Handeln. Du lässt dich während der Durchführung einer Handlung nicht mehr von ihr abbringen. Das aus dem ersten Schritt erlernte Gegenwartsprinzip wird besser in die Tat umgesetzt.

**Beispiel**

Vielleicht kennst du dich ein bisschen mit der Zwei-kampfführung im Fußball aus. Stelle dir zwei Spieler vor, die auf einen Ball zulaufen und diesen erobern wollen. Der eine Spieler stammt vom mehrmaligen Meister und Titelverteidiger, der andere von einer Abstiegsmann-schaft. Der Spieler vom Titelverteidiger hat die pure Siegermentalität. Er weiß, was er will, und aufgrund der Titel in der letzten Saison weiß er auch, dass er es schaffen kann. Der Spieler von der Abstiegsmannschaft ist eingeschüchtert, denn schon am Blick des Gegners sieht er die pure Entschlossenheit, sogar eine Verlet-zung in Kauf zu nehmen – nur, um diesen einen Ball zu erobern. Die beiden Spieler kommen dem Ball immer näher, beschleunigen und holen mit dem Fuß aus. Der Spieler vom Titelverteidiger ist voll entschlossen und zieht durch. Beim anderen Spieler kommt nur ein Hauch von Zweifel auf, der ihm aber Tempo und Kraft nimmt und verhindert, dass er zuerst an den Ball kommt.

Entschlossenheit merkt man dir an. Es ist der Gesichtsaus-druck, den du bei der Arbeit hast, während du ein Projekt vor mehreren Personen vorstellst und für dessen Umset-zung plädierst. Du stehst vor den Zuhörern und trägst mit leuchtenden Augen und Elan vor, dass ausgerechnet deine Lösung / dein Konzept das Beste ist. Die Menschen sehen deine Entschlossenheit und vertrauen dir. Entschlossenheit bedeutet also auch Anziehungskraft. Sie macht dich attraktiv und erschließt dir die Möglichkeiten, eine Anhängerschaft oder zumindest ein soziales Umfeld aufzubauen.

Eng im Zusammenhang mit deiner Entschlossenheit stehen Disziplin und Motivation. Vor allem die Disziplin ist ein

Faktor, der mit mentaler Stärke so sehr in Verbindung gebracht wird wie wohl kaum ein anderer. Disziplin fördert deine Entschlossenheit. Sie sorgt dafür – woran du dich aus den Definitionen aus dem ersten Kapitel erinnern dürftest –, dass du imstande bist, selbst auferlegte und von außen diktierte Regeln zu befolgen. Bei der Befolgung selbst auferlegter Regeln ist von Selbstdisziplin die Rede. Wenn du zu etwas keine Lust hast, aber dich an die Regel erinnerst – nämlich, der jeweiligen Aktivität nachzugehen – und als Folge dessen die Aktivität durchführst, bist du diszipliniert. Je ausgeprägter die Disziplin, umso unerschütterlicher ist deine Entschlossenheit. Disziplin ist die schützende Mauer um deine Entschlossenheit. Sie führt dazu, dass bei Angriffen von außen oder aus deinem Inneren (z. B. aufkommende Selbstzweifel) dennoch an den Zielen festgehalten wird. Die Motivation wiederum setzt sich aus deinen Motiven zusammen – also, wieso du etwas machst. Durch die regelmäßige Wiederholung deiner Motive rufst du dir deine Träume vor Augen. Realistische Träume zu visualisieren oder anzupeilen, stärkt deine Motivation. Je motivierter du bist, umso entschlossener bist du. Es scheint sinnvoll, diese beiden Komponenten zu stärken; die Disziplin und die Motivation. Jeweils drei Übungen weisen dir den Weg dazu.

## Disziplin steigern mit drei Übungen

### Übung 1

Bisher hast du mit Hilfe dieses Buches an Plänen gearbeitet, aber noch nicht an Belohnungen. Falls du dir bei deinen Etappenzielen kleine oder größere Belohnungen – das Ausmaß der Belohnung muss zum Schwierigkeitsgrad des Etappenziels passen – erlaubst, dann steigerst du deine Willensstärke. Du weißt nämlich, während du das eine Etappenziel gerade anstrebst, dass auf dich eine Belohnung wartet.

Es lohnt sich demnach, diszipliniert zu sein und es zu bleiben. Ordne also deinen Etappenzielen jetzt passende Belohnungen zu. Auch hier gilt: Nimm die Gegenwart als Maßstab und mache es auf realistische Weise.

## Übung 2

Gehe Handlungen nach, die du nicht gern magst. Überlege dir fünf Handlungen, die regelmäßig praktiziert werden können, dir aber nicht zusagen. Natürlich sollten die Handlungen Sinn machen und dich in irgendeiner Form voranbringen. Ein optimales Beispiel wäre z. B. das Staubwischen. Beginne zunächst mit einer der fünf Handlungen und übe sie über eine Dauer aus, die dir zumutbar erscheint. Steigere mit der Zeit die Dauer und füge schrittweise die weiteren Handlungen hinzu. Durch diese Übung konditionierst du dich darauf, eine höhere „Schmerztoleranz" gegenüber ungewollten Aufgaben zu haben.

## Übung 3

Gewöhne dir an, Ordnung in deinem Zuhause, an deinem Arbeitsplatz und an jedem anderen aufgesuchten Ort zu halten. Ordnung in der Außenwelt färbt positiv auf dein Inneres ab. Durch eine ordentliche Umgebung legst du den Grundstein für Disziplin. Denn wenn du immer wieder vor deinen Augen Schwarz auf Weiß siehst, dass du ordentlich lebst, wird es dir leichter fallen, daran zu glauben, dass du auch andere Sachen konsequent umsetzen kannst. *Wie außen – so innen!*

## Motivation steigern mit drei Übungen

### Übung 1

Denke so, als hättest du dein Ziel bereits erreicht. Wenn du über ein Etappenziel oder ein großes Ziel nachdenkst, dann sage dir immer in Gedanken: „Ich habe . geschafft." Passe dabei darauf auf, dass du nicht nachlässig wirst und denkst, du müsstest gar nichts mehr machen. Nutze diese Übung also sparsam, z. B. als Zusatz zu den Glaubenssätzen. Sage dir die Sätze dabei ein paar Mal täglich in Gedanken oder spreche sie laut aus.

### Übung 2

Führe ein Tagebuch über deine Erfolge. Die Tagebuchführung hat unter dem Anglizismus „Journaling" ohnehin ein Wiederauferstehen gefeiert. Immer mehr Personen zeigen sich der Tagebuchführung gegenüber offen und stempeln sie nicht mehr als eine Tätigkeit für Romantiker ab. Gehöre auch du diesen Personen an und führe Tagebuch über deine Fortschritte! Wenn du möchtest, kannst du es in Stichpunkten und somit knapp halten. Entscheidend ist, dass du bei einem Rückgang an Entschlossenheit ein Büchlein hast, in das du reinschauen kannst, um dir klarzumachen: *Ich habe es bis hierhin geschafft und werde es weiterhin schaffen!"* Dies klingt zwar simpel, wirkt aber definitiv. Deswegen: Einfach machen und staunen!

### Übung 3

Die 45/15-Regel sieht vor, dass du 45 Minuten lang einer Aufgabe nachgehst und dann 15 Minuten lang Pause machst. In dieser Pause kannst du deine Achtsamkeitsübungen oder sonst etwas machen, das dir lieb ist. Es zählt nur, dass du dir die Pause nimmst. Durch die Tatsache, dass du nur über einen beschränkten Zeitraum einer Aufgabe nachgehen musst, steigt deine Motivation. Bei Aufgaben, die du nicht magst, die aber kürzer dauern, kannst du die 45/15-Regel selbstverständlich kürzen. Bei einer Aufgabe mit 15 Minuten Dauer, die dir absolut zuwider ist, könntest du durch 5 Minuten Arbeit und 3 Minuten Pause eventuell einen guten Effekt erzielen. Probiere es einfach aus, die Aufgabe zu stückeln und entspannt auf dein Ziel hinzuarbeiten. Bei einer beruflichen Tätigkeit mit vorgeschriebenen Arbeitszeiten wird diese Regel leider nicht umsetzbar sein. Habe Verständnis dafür, dass sie nicht universell anwendbar ist.

### Zwischenfazit

*Entschlossenheit macht dich mental stark. Diese Stärke merken dir Außenstehende an. Du entfaltest dein maximales Potenzial. Arbeite regelmäßig an deiner Motivation und Disziplin, damit es dabei bleibt.*

## Hindernisse akzeptieren und behutsam aus dem Weg räumen

Auf deinem Weg zu mehr Entschlossenheit können dir Hindernisse begegnen. Je nachdem, in welchem Bereich du entschlossen sein möchtest, wirst du eventuell mit verschiedenen Widerständen konfrontiert werden. Wie schon Dr. Thomas Späth und Shi Yan Bao in ihrem Ratgeber *Shaolin – Das Geheimnis der inneren Stärke* (2011) erkennen, ist das Annehmen der Hindernisse wichtig. Durch das Annehmen wirst du dir der Hindernisse überhaupt erst bewusst und kannst daran arbeiten, sie aus dem Weg zu räumen. Ignorierst du sie hingegen, läufst du Gefahr, aufgrund einer

Kopf-durch-die-Wand-Taktik zu scheitern. Die Autoren empfehlen, sich bei Hindernissen zuerst auf den Grund für deren Auftreten zu konzentrieren. Jedes Hindernis habe eine positive Absicht: Angst diene beispielsweise dazu, Menschen zu schützen. Bequemlichkeit bewahre vor einem zu hohen Energieverbrauch.

Du hast die Wahl, die Hindernisse rigoros zu bekämpfen: Eventuell schaffst du dir noch zusätzlich einen Ratgeber zur Angstbewältigung an, um dich von allen Seiten gegen das Hindernis zu stemmen. Aber ist das der richtige Weg? Es ist zumindest nicht der Weg, der dich mit höchster Wahrscheinlichkeit zum Erfolg führt. Denn Kompromisslosigkeit und rigoroses Vorgehen bergen das Risiko, dass du dich übernimmst. Wie wäre es denn mit Kompromissen?

> Falls du Angst hast, komme dieser auf halbem Wege entgegen, indem du zuerst deren Schutzfunktion akzeptierst und dann nach Wegen suchst, dich Schrittweise von der Angst zu befreien.
> Solltest du dich als faul bezeichnen, dann gestehe dir das Faulenzen ein, aber reduziere den Umfang schrittweise. Probiere zudem Alternativen zur Faulheit aus, wie z. B. Massagen. Auch hier entspannst du dich und liegst nur rum; jedoch mit dem Unterschied, dass du deinem Körper etwas Gutes tust und – da hast du's wieder nach dem letzten Kapitel – dir selbst Wertschätzung erweist.
> Siehst du dein Umfeld als eine Hürde, so reduziere den Kontakt zu Personen, die für die Entwicklung mentaler Stärke deiner Meinung nach kontraproduktiv sind. Oder du sagst ihnen direkt, dass du dir von ihnen mehr Verständnis oder Respekt erhoffst; je nachdem, wo du die Defizite im Umgang mit dir siehst.

Es geht bei dem Umgang mit Hindernissen um Akzeptanz und Kreativität in der Lösungsfindung. Sicher verstehst du es, dass sich zwei Personen bei einer gemeinsamen Reise, einem Problem oder einer Aufgabe absprechen müssen, um einheitlich und bestmöglich zu agieren. Ein Zusammenschluss aus zwei Personen, bei dem jede der beiden Personen nach Belieben handelt, wäre unentschlossen. So ist es auch bei dir: In dir leben durch deine Gedanken, den inneren Schweinehund oder andere Einflüsse mehrere „Personen". Sie äußern sich in deinen Eigenschaften, Stärken und Schwächen. Manchmal dominiert die eine Person, manchmal die andere. Mentale Stärke und Entschlossenheit zu entwickeln bedeutet, einen Konsens zwischen den Personen in dir drin zu finden; also zwischen deinen verschiedenen inneren Stimmen. Wenn dir dies gelingt, bündelst du alle Kraft in der Handlung, die du durchführst, und gehst entschlossen zu Werke.

Kompromisse zwischen deinen Wünschen und den Hindernissen zu finden, ist der beste Weg. Wie findest du die Kompromisse zwischen Angst und Auftritt vor dem Publikum, Faulheit und bevorstehender Aufgabe, Nervosität und Ambitionen auf eine erfolgreiche Prüfung, Gewohnheit zur Nascherei und angepeilter Diät? Wie gelingt es dir in diesen und vielen anderen Situationen – unabhängig vom Ziel und dem Hindernis, das diesem Ziel im Wege steht – die richtigen Kompromisse zu finden?

### Übung

Hinter einem Hindernis versteckt sich nicht nur die blanke negative Absicht. Es ist auch eine positive Absicht dahinter verborgen. Die Ausnahme bildet dein persönliches Umfeld, denn bei anderen Menschen weißt du nicht, wieso sie dir Steine in den Weg legen. Es kann sich auch dahinter eine positive Absicht verbergen, aber dies ist nicht gewiss. Beim Umfeld hilft es dir nur, auf

Abstand zu gehen oder Probleme offen anzusprechen. Aber bei den Hindernissen, die aus dir selbst heraus entstehen, – deinen individuellen mentalen Schwächen – sind auch positive Absichten versteckt. Schreibe deine Hindernisse auf und notiere zusätzlich, welche positive Absicht sich hinter jedem Hindernis verstecken könnte.

Überlege dir im nächsten Schritt Kompromisse: Überlege, wie du z. B. die Angst schrittweise bekämpfen kannst, ohne dich vor Mammutaufgaben zu stellen. Bei einer Spinnenphobie wäre eine Möglichkeit, dass du dich in die Nähe von Spinnen begibst – und immer einen Meter oder in kleineren Schritten näher herangehst. Bei Klaustrophobie hättest du die Möglichkeit, zuerst in einem größeren Raum zu beginnen und dann in einen immer kleineren Raum zu wechseln. Andere Sache: Faulheit ist deine Schwäche. In diesem Fall könntest du dir ein Programm zusammenstellen, bei dem du dich am ersten Tag nur eine Minute lang zu einer Sache aufraffen musst. Mit der Zeit steigerst du die Dauer.

Kleinschrittig, behutsam, auf die Hindernisse eingehend und sie in deine Planungen mit einbeziehend – so ist dein Weg zur Entschlossenheit. Jeder Schritt vom Hindernis weg stärkt deine generelle mentale Stärke und macht dich entschlossener. Es ist hilfreich, die Hilfe von vertrauten Personen in Anspruch zu nehmen.

Abschließend ist zu beachten, dass die Kompromisse Dynamik von dir verlangen: Solltest du z. B. merken, dass dir die Überwindung eines Hindernisses deutlich leichter fällt als geplant, dann steigere das Tempo. Falls du dich übernommen hast: Alles kein Drama – du gehst einfach einen Schritt zurück und die Sache insgesamt behutsamer an. Wichtig ist in all diesen Punkten ein grundsätzliches Maß an Geduld. Kein Hindernis verschwindet durch unbedachten Aktionismus. Wie in den ersten Übungen und grundsätzlich in deinem Leben, solltest du dich in der Gegenwart betrachten und immer hinterfragen, wie du mit deinen jetzigen Mitteln und deiner jetzigen Einstellung zum Hindernis das Hindernis am besten schrittweise eliminieren kannst.

> **Zwischenfazit**
>
> *Hindernisse werden akzeptiert. Sie sind kein bedingungsloser Feind, sondern haben zumindest einen kleinen positiven Hintergrund. Schließe so lange schrittweise mit diesem positiven Hintergrund und deinen Zielen Kompromisse und passe diese an, bis du das Hindernis abgeschafft hast. Sollten andere Menschen das Hindernis darstellen, dann führe ein klärendes Gespräch oder distanziere dich von diesen Personen.*

## MPS Schritt 3 in Kürze

- Entschlossen zu sein, bedeutet, eine Sache zu wollen oder zu müssen und dabei die Bereitschaft, Mittel und Methoden zu haben, um alle Hindernisse aus dem Weg zu räumen.
- Wichtiger Initiator für Entschlossenheit ist das „Wollen" oder „Müssen" oder eine Mischform von beiden. Das „Wollen" sollte in deinem Leben und bei deinen Aktivitäten dominieren, damit du Freude und Spaß empfindest.
- Lege dich in deiner Liste realistischer Ziele auf die Dinge fest, zu denen du wirklich entschlossen bist. Setze deine Prioritäten so, dass du in erster Linie diesen Dingen nachgehst.
- Durch Entschlossenheit reißt du andere Menschen mit und gewinnst sie für dich – ob als Freunde oder in anderer Rolle. Zudem setzt du deine Handlungen

mit der maximalen Ausschöpfung deines Potenzials um.

• Motivation und Disziplin stärken deine Entschlossenheit. Mache regelmäßig spezielle Übungen, wie die Tagebuchführung, und bringe Ordnung in dein Leben, um deine Entschlossenheit zu stärken.

• Akzeptiere Hindernisse und gehe bei deren Beseitigung Kompromisse ein. So entledigst du dich schrittweise und behutsam der Hindernisse, ohne dich zu überfordern.

➜ Eigne dir Entschlossenheit an, um die Gegenwart optimal auszunutzen! Durch Entschlossenheit lebst du konsequenter im Moment und kannst so negative Emotionen loslassen und dich auf das Positive in der Gegenwart konzentrieren.

# MPS Schritt 4: Reduziere deine Bedenken!

Die Bedenken zu reduzieren ist wie die Entschlossenheit ein Ergebnis des Lebens in der Gegenwart und zugleich eine wichtige Stütze, um in der Gegenwart zu verbleiben. Wenn du gelassener bist, sorgst du dafür, dass dich die persönlichen Probleme des Lebens nicht beherrschen. Achtung: Obwohl im Folgenden von Gelassenheit die Rede sein wird, ist damit nicht gemeint, nichts zu tun. Es geht darum, die Probleme weniger an sich heranzulassen. Dabei werden die Probleme nicht ignoriert, sondern stattdessen zu den vorgesehenen Zeitpunkten angegangen. Du arbeitest also genau zu den Zeitpunkten an Lösungen, an denen du es kannst, willst und/oder musst. Ansonsten konzentrierst du dich auf andere Dinge.

Die Verbindung zum restlichen Inhalt dieses Buches besteht darin, dass die Gelassenheit als ruhiger Gegenpol zur Entschlossenheit fungiert und vor Aktionismus bewahrt. Sie stellt eine Balance in den eigenen Plänen sowie Handlungen sicher.

## Umgang mit kleineren Sorgen: Sind es die Lacher von Morgen?

Im Leben gibt es kleinere ebenso wie größere Sorgen. Wir beginnen in diesem Kapitel – weil die Belastung des Gemüts die geringste ist und die Sorgen manchmal sogar komplett unbegründet sind – mit den kleinen Sorgen: In der Wissenschaft erfolgt die Abgrenzung kleiner zu großen Sorgen anhand der These, dass große Sorgen die Eigenschaft haben, krankhafte Ausmaße anzunehmen. Sie schränken die Aufmerksamkeit dauerhaft ein, führen zu höherer Wachsamkeit in Phasen der Entspannung und quälen in den Gedanken förmlich: Sie werden auf andere Situationen übertragen, was in vielen Fällen zu einer generalisierten Angststörung führen kann.

Kleinere Sorgen dagegen sind Gedankengänge, die einen nicht permanent verfolgen, aber in bestimmten Situationen belasten. Mögliche Beispiele für solche kleinen Sorgen sind:

➢ Misslungenes Date mit einer Person von der Arbeit: Beim nächsten Mal, wenn du dieser Person begegnest, wirst du wahrscheinlich in Scham versinken – so ist deine Sorge.

➢ Stress mit dem Chef: Dein Chef hat sich über deine Leistung an einem Tag ausgelassen. Er hat dich gefühlt jede halbe Stunde wegen irgendeiner Sache angebrüllt. Du machst dir Sorgen, wie du ihm das nächste Mal begegnen sollst und welche Konsequenzen er eventuell ergreift.

➢ Du hast eine schlechte Note bekommen und musst es deinen Eltern beichten, die in solchen Fällen immer sehr streng sind.

➢ Du musst vor großem Publikum einen Vortrag halten, aber hast eine leicht durchsichtige Kleidung angezogen. Dies ist dir vor dem Vortrag nicht bewusst, sondern wird dir erst kurz vor Ende klar. Du schaukelst den Rest des Vortrags souverän über die Bühne und verschwindest danach. Meine Güte, war das peinlich! Es beschäftigt dich noch Tage später.

All diese kleinen Sorgen sind, wenn man es so liest, meist nur temporär; „meist", weil es Ausnahmen gibt. Aber damit halten wir uns jetzt nicht auf. In der Regel sind diese Sorgen unbegründet. Die Beichte deiner schlechten Note, der Stress mit dem Chef, der Vortrag und das Date sind vorbei – welchen Grund gibt es, dir noch Sorgen zu machen? Es könnte womöglich zu Konsequenzen kommen, aber wenn wir darüber nachdenken, sind diese Dinge so banal, dass sie jeder Person schon mal unterlaufen sind: Wenn sich beispielsweise die Person von der Arbeit über das Date beschwert, werden die Zuhörer ihr vielleicht recht geben, aber genauso gut wissen, dass eben nicht jedes Date gut verläuft.

Wenn du mal genau drüber nachdenkst, könnten all diese Sorgen doch auch in einem positiven Ende münden: Was wäre, wenn eine andere Person von der Arbeit bei den Erzählungen über das misslungene Date mehr über dich erfahren und denken würde, dass du eine interessante Person bist. Demnächst kommt die Person auf dich zu, ihr verabredet euch und habt ein Super-Date. Was wäre, wenn dein Vorgesetzter sich über dich beim Geschäftsführer des Unternehmens ausließe, dieser aber die Kritik nicht nachvollziehen könnte und dich in eine bessere Abteilung versetzen würde?

Wahrscheinlich sind diese positiven Folgen nicht, aber sie sind durchaus möglich. Was aber definitiv nicht möglich ist, ist, dass sich aus diesen kleinen Sorgen eine für dein Leben gravierende negative Konsequenz ergibt. Es sind meist irrationale Sorgen. Dementsprechend verwundert es kaum, dass sie mit zeitlichem Abstand sogar zu Lachern werden, die man im Familien- und Freundeskreis erzählt.

## Übung

Finde solche kleinen Sorgen bei dir. Suche bevorzugt nach solchen Sorgen, die zurzeit in dir hochkommen; vielleicht ist dir vor ein paar Tagen etwas Peinliches unterlaufen, das dir Sorgen bereitet. Gern darfst du auch in der Vergangenheit rumwühlen und dich an peinliche Situationen oder kleinere Streitigkeiten zurückerinnern, um mithilfe dieser Übung für deine Zukunft zu lernen. Schreibe alle kleineren Sorgen auf, die dir einfallen. Notiere nun mindestens drei Gründe, wieso diese Sorgen unbegründet oder sogar lächerlich sind. Häufige Gründe sind, dass man die jeweilige Person ohnehin nie wiedersehen wird oder es normale Missgeschicke sind, die jedem mal unterlaufen. Male dir dann aus, wie du später mit anderen Personen über genau diese Sorgen lachen wirst.

## Meine Erfahrungen

Ich habe mich in meinem Leben häufig mehr von kleinen als von großen Sorgen ausbremsen lassen, was äußerst paradox ist. Mit großen Sorgen wie hohen Schulden, die ich zwischenzeitlich nicht abbezahlen konnte, konnte ich recht gut umgehen. Ich habe mich nur solange damit befasst, wie es notwendig war, und gearbeitet, um Lösungen zu finden. Aber kleinere Sorgen, bei denen meine Existenz und Gesundheit nicht bedroht waren, kamen in meinen Erinnerungen regel mäßig hoch. Ich denke, es lag daran, dass in meiner Kindheit früh die Weichen für solche Reaktionen gestellt wurden: Immer wieder war die Peinlichkeit von kleineren Missgeschicken von meiner Mutter betont worden, sodass ich mir diese Denkweise und Sorgen aneignet hatte. Im Laufe des Lebens bescherte mir die Erfahrung die Erkenntnis, dass kleine Peinlichkeiten vollkommen normal sind. Sie sind normal und zeigen oft auf witzige Weise, wie unvollkommen wir Menschen sind. Diese Unvollkommenheit in kleineren Situationen macht den menschlichen Charme aus.

## Umgang mit größeren Sorgen, die Leben, Existenz und Zukunft gefährden

Alle – wirklich alle Arten von größeren Sorgen – benötigen Impulskontrolle und Akzeptanz. Dies zeigt sich sogar in den äußersten Notfällen. Wenn beispielsweise eine Person einen Herzinfarkt hat, spürt sie dies in der Regel deutlich. Das Ausmaß dieser stechenden Schmerzen ist für gewöhnlich derart stark, dass man um sein Leben fürchtet. In der Ersten Hilfe wird empfohlen, die Person zu beruhigen. Dasselbe tun auch die Sanitäter vor Ort. Beruhigung schafft Kontrolle. Die Atmung ist dann langsamer, sodass sogar ein direkter medizinischer Effekt eintritt.

Man braucht sich jedoch in Notfällen und bei besonders großen Sorgen (z. B. finanzielle Existenzsorgen, Sorgen um den Gesundheitszustand eines lieben Menschen) nichts vorzumachen: So auf die Schnelle, ohne vorige Übungen zur Kontrolle und regelmäßige Praxis, ist der Effekt meist überschaubar. Emotionen und Impulse, die Emotionen verursachen, lassen sich dann am besten kontrollieren, wenn du gezielt darauf hintrainierst. Hierfür ist es unabdingbar, sich mit Übungen vorzubereiten.

Die Auswirkungen menschlicher Emotionen solltest du übrigens auf keinen Fall unterschätzen. Denn das menschliche Gehirn reagiert meist emotional. Schon allein durch die Funktionsweise des Gehirns kommt es dazu, dass sich als Erstes das limbische System einschaltet, das im Gehirn u. a. den emotionalen Part übernimmt. Wenn du keine Kontrolle über die Emotionen entwickelst, riskierst du, dass die Emotionen dich kontrollieren. Wo dies hinführt, ist vollkommen von der Situation abhängig. Es gab bereits Menschen, die aufgrund einer starken emotionalen Reaktion andere Menschen verletzt oder sogar getötet haben. Mal abgesehen von diesem Extremfall gibt es zahlreiche andere Situationen, in denen ein Mangel an Kontrolle über deine Emotionen dir schadet: Dies ist z. B. dann der Fall, wenn du dir Sorgen machst.

Sorgen sind tiefgründige Emotionen. Wenn du vor einer Spinne Angst hast, dann hast du *Angst*. Wenn du um einen dir lieben Menschen Angst hast, dann machst du dir um ihn *Sorgen*. **Sorgen** zeichnen sich durch ihren **langfristigen Charakter** aus. Sie treten regelmäßig in dein Bewusstsein ein und durchstreifen deine Gedanken. Sorgen können aus einzelnen peinlichen Ereignissen resultieren, wobei es sich hierbei um kleine und irrationale Sorgen handelt. Dies hast du im letzten Unterkapitel gelernt. Diese Sorgen sind für gewöhnlich die Lacher von Morgen. Anders ist es mit Sorgen, die aus tiefergründigen Anliegen oder Ereignissen resultieren, wie z. B.:

> ➢ schlechter Gesundheitszustand mit unvorhersehbaren Folgen für das eigene Leben
> ➢ finanzielle Probleme und Unklarheit bezüglich der eigenen Existenzsicherung
> ➢ Probleme in der Schule, im Studium oder bei der Arbeit und die Ungewissheit, ob sie gelöst werden können

All diese drei Beispiele eint die Ungewissheit: Du weißt nicht, wie sie ausgehen. Dies birgt für dich ein Problem; nämlich die Tatsache, dass du nicht entschlossen reagieren kannst. Du bist gefangen zwischen Hoffnung und Realismus. Die Ungewissheit beeinträchtigt dich bei vielem, was du in den vergangenen Schritten dieses Ratgebers gelernt hast.

Nehmen wir mal als Gegenbeispiel eine Situation, in der der Ausgang klar ist: In diesem Beispiel ist dir bewusst, dass ein dir lieber Mensch nur noch drei Monate zu leben hat. Die Ungewissheit ist fort. Langsam schwindet auch die Sorge, was mit der Person passiert. An deren Stelle treten andere Sorgen, wie z. B. wie die Person mit der Situation klarkommt und wie du ein Leben ohne die Person hinbekommst. Du hast aber die Zeit, diese Dinge langsam und im Beisein der Person kognitiv zu verarbeiten und Lösungen zu finden. Fakt ist, dass zur Existenz von Sorgen die Ungewissheit gehört. Diese Ungewissheit kannst du in den seltensten Fällen beseitigen. Häufig verschwindet sie von selbst, wobei von der „alle Wunden heilenden Zeit" gesprochen wird.

Oder aber du akzeptierst die Ungewissheit. Genau das ist der Punkt, der immer bei größeren Sorgen hilft: die existierende Ungewissheit zu akzeptieren, weil sie sich nicht beeinflussen lässt. Auf Basis dieser Akzeptanz überdenkst du deine gegenwärtige Situation (Schritt 1) neu und legst fest, wie du entschlossen darauf reagierst (Schritt 3). Um dich trotz der Ungewissheit nicht von deinen Emotionen übermannen zu lassen, ist es erforderlich, dass du diese und die Impulse, die zu Emotionen führen, kontrollierst. Max Janson stellt in ihrem Werk *Resilienz trainieren (2020)* fest, dass es für eine Impulskontrolle eines hohen Maßes an Selbstdisziplin bedarf. Ansonsten lässt du dich aus der Ruhe bringen.

Treten Sorgen zum ersten Mal auf, dann ist eine neue Einschätzung der gegenwärtigen Situation erforderlich. Hierzu verhilft dir der erste Schritt in diesem Buch. Anschließend ist der Entschluss wichtig, trotz der Sorge einen bestimmten Weg einzuschlagen und diesen zu gehen. Selbstdisziplin hilft dir dabei. Du motivierst dich, indem du dir vor Augen führst, wieso du trotz der großen Sorge weiterleben und dein Bestmögliches geben solltest. Ein mögliches Motiv wäre, weiterzumachen, um die liebe Person auf dem Krankenbett stolz zu machen. Um in Phasen großer Sorgen mit Entschlossenheit die neue Lebenssituation anzunehmen, sind die im Folgenden geschilderten Übungen zur Impulskontrolle und Akzeptanz nützlich.

## Drei Übungen, um Akzeptanz zu entwickeln

### *Übung 1*

Weil der Tod eines geliebten Menschen etwas ist, das große Sorgen bereitet und auf jede Person früher oder später zukommt, ist Übung 1 speziell diesem Fall gewidmet. Die Sorge, einen geliebten Menschen verlieren zu können, kann dadurch gemindert werden, die Zeit mit diesem Menschen optimal zu nutzen. Sollte die Person die Bereitschaft haben, dann verbringe möglichst viel erfüllende Zeit mit ihr. Dies gilt übrigens auch für dich selbst: Solltest du in Bezug auf deine eigene Gesundheit eine Hiobsbotschaft erhalten, so hilft es dir, die Zeit, die du hast, bestmöglich auszunutzen. Im Buch *Resilienz trainieren* (2020) weist Max Janson dazu passend auf ein Interview mit dem an Parkinson erkrankten Ottfried Fischer hin: Fischer wolle an seiner Krankheit nicht verzweifeln. Stattdessen setze er sich zum Ziel, nur noch das zu machen, woran er Spaß habe. Verbliebene Zeit und verbliebene Ressourcen maximal auskosten – so lautet die Devise dieser Übung. Sinnvoll genutzte Zeit lenkt zudem von den Sorgen ab, die dich und/oder den geliebten Menschen plagen.

Was ist, wenn es bereits zu spät ist und du keine Zeit mehr mit dem geliebten Menschen verbringen kannst, weil dieser z. B. schon tot ist? In diesem Fall helfen Erinnerungen: Erinnere dich an jeden Augenblick, den du mit der Person verbracht hast. Erinnere dich gern mit anderen Personen zusammen. Du wirst erkennen, dass dich die schönen Erinnerungen beruhigen.

Obwohl hauptsächlich zur Trauerbewältigung gedacht, eignet sich diese Übung auch bei anderen Arten von Verlusten. Wenn du z. B. mit einem großen beruflichen Projekt scheiterst, kannst du dich im Nachhinein an die ausgezeichneten Erfahrungen klammern. Daraus gewinnst du Mut und Zuversicht für die Gegenwart. Deine Übung ist demzufolge, entweder mehr Zeit mit dir lieben Menschen zu verbringen oder aber Erinnerungen zu nutzen, um dir zu zeigen, dass du die Zeit ohne Sorgen voll ausgenutzt hast.

## *Übung 2*

Den Sinn darin zu erkennen, wenn einen große Sorgen plagen, ist schwer. Aber es gab schon zahlreiche Personen, die in schwierigen Lebensphasen zu Stärke gefunden haben. Sie entwickelten eine Sichtweise auf die Dinge, die ihnen den Grund für die Probleme erklärte. Erklärungen sind der Grundbaustein von Akzeptanz. Wenn du Erklärungen erhältst und Verständnis entwickelst, wirst du die Dinge mit der Zeit einfacher akzeptieren können. Also fange an, nach Erklärungen zu suchen: Ist es möglich, dass das Leben auf diese Weise deine Stärke testen will? Möchte dich vielleicht jemand darauf aufmerksam machen, dass du große Fehler begangen hast und etwas in deinem Leben ändern musst? Sollst du von nun an mehr Zeit mit der jeweiligen Person verbringen? Was auch immer du an Erklärungen findest: Versuche, dich selbst zu überzeugen und ein Handeln daraus abzuleiten, damit du die Probleme akzeptierst und dich von deinen Sorgen schrittweise befreist.

---

**Übung 3**

Es gibt gute und schlechte Zeiten. Aktuell mögen womöglich schlechte Zeiten vorherrschen – aber das wird nicht immer so sein. Denke einerseits an dein eigenes Leben: Welche Krisen hast du bisher erfolgreich überstanden? Wie hast du dich danach gefühlt? Schaue andererseits auf andere Menschen, ob im Fernsehen oder in der Realität. Die Menschen werden dir ein Beispiel dafür sein, wie du in deiner Lage handeln sollst. Durch Lernen aus bisherigen Erfahrungen und das Lernen am Modell – also das Lernen von anderen Personen – findest du eventuell deinen Weg, zu akzeptieren.

---

## Drei Übungen, um Impulse zu kontrollieren

---

**Übung 1**

Große Sorgen können dich zu voreiligen Handlungen verleiten. Du hast keine Geduld, ein Ergebnis abzuwarten. Du musst irgendetwas tun. Geduld ist daher ein erstes hilfreiches Mittel, um Impulskontrolle zu erlangen. Nicht selten greifen Personen, wenn sie sich Sorgen machen, auf völlig irrationale Mittel zurück. Der Student, der mit dem Lehrstoff nicht hinterherkommt, schluckt Ritalin. Der trauernde Familienvater fliegt seinen kranken Sohn zu einem Wunderheiler auf Honduras und gibt für die gesamte Mission einen fünfstelligen Betrag aus. Es treten in beiden Fällen wohl keine Besserungen ein. Die Risiken sind dagegen ziemlich groß. Lerne daher, in Situationen, in denen dich Sorgen überkommen, eine kleine Auszeit zu nehmen. Erlaube dir zehn Sekunden lang, die Sorgen in deinen Gedanken zuzulassen.

---

Sorge dich und zähle die zehn Sekunden abwärts. Im Anschluss setzt du dich hin und schreibst eine Pro- und Kontra-Liste, um herauszufinden, welche Handlungen in dieser Situation wirklich zielführend sind. So triffst du schließlich rationale Entscheidungen für deine Handlungen.

## *Übung 2*

Finde ein Ablassventil. Suche dir in schwierigen Lebensphasen, die dir Sorgen bereiten, eine Aktivität, in der du all deine Emotionen rauslassen kannst. Klassische Beispiele sind der Boxsack daheim, das Fitnessstudio und Joggen. Bei allen drei Sportarten kannst du dich auspowern und dabei die Intensität gut variieren: schneller laufen, stärker schlagen, mehr Gewichte stemmen. Professionelle Tänzer und Musiker sind imstande, das Tanzen bzw. Musizieren als Ablassventile zu nutzen. Einige Personen schwören wiederum darauf, dass sie sich bei Haushaltsarbeit emotional gut abreagieren können. Dein Ablassventil ist individuell – also finde das passende Ablassventil für dich und nutze es. Dadurch, dass du deine Emotionen in eine Aktivität verlagerst, powerst du dich aus und senkst die Gefahr, dass du durch die Sorgen übermannt wirst. Du setzt dich eher auf rationale Art mit deinen Sorgen auseinander.

## *Übung 3*

Reden! Dein Umfeld ist wichtig. Rede mit Menschen – insbesondere denen, die deine Sorgen teilen – über das, was dich/euch belastet. So erfahrt ihr alle Rückhalt und Verständnis. Mehrere Personen zusammen finden außerdem mehr Wege als eine einzige Person, um eine Umgangsweise für die Sorge zu ermitteln. Schwere Situationen bringen meist auch körperliche Nähe mit sich: eine Umarmung hier und da, eventuell ein bisschen Kuscheln hier und da.

Dies regt die Ausschüttung von Glückshormonen an, was die eigene gekränkte Seele besänftigt. Offenheit fördert auch zwischenmenschliche Beziehungen. Wer sich einem anderen vertrauten Menschen gegenüber öffnet, animiert diesen Menschen dazu, sich selbst ebenfalls zu öffnen.

### Zwischenfazit

*Große Sorgen bringen das wesentliche Problem der Ungewissheit mit sich. Die Ungewissheit führt dazu, dass du zwischen zwei Seiten gefangen bist: der Möglichkeit eines positiven sowie negativen Ausgangs. Lerne, dies zu akzeptieren und Impulse zu kontrollieren, um überlegt und rational zu handeln.*

## Langsamkeit schlägt Eile

„Langsamkeit schlägt Eile" – das gilt nicht für alle Lebensbereiche. Bei einem Sprint beispielsweise gewinnt nur die Person, die die schnellste ist. Eile ist in diesem Fall unentbehrlich. Aber schon bei einem Marathon über mehr als 50 Kilometer Laufstrecke sieht die Sache anders aus: Wenn du dich zu Beginn beeilst, möglichst lange Erstplatzierter zu sein, dosierst du deine Kräfte nicht richtig. Dosierung der Kräfte ist bei langen Distanzen jedoch das A und O! Die anderen Läufer durch beeindruckende 10 Kilometer einzuschüchtern, bringt dir wenig, wenn du auf den restlichen Kilometern keine Luft mehr hast. Das Prinzip der Langsamkeit lässt sich somit sogar auf den Sport übertragen. Es ist demzufolge wichtig, um die ein oder andere Ecke zu denken: Im Wesentlichen geht es bei dem Prinzip darum, sich für gewisse Sachen Zeit zu lassen. So ist es vor allem bei Sorgen.

Wie du aus einer der Übungen zuvor gelernt hast, ist Aktionismus durch den Mangel an Geduld und Überlegung ein Risiko dafür, dass du die falschen Entscheidungen triffst. Vor allem bei tiefgreifenden Problemen ist ein langsames Vorgehen zur Findung einer Lösung vorteilhaft. Wie langsam es sein soll? So langsam, wie es deine individuelle Situation hergibt. Die Herausforderung bei schwierigen Lebensphasen oder tiefgreifenden Problemen ist, dass sie häufig ein umfassendes Konstrukt sind. Es müssen mehrere Faktoren Berücksichtigung erfahren:

> ➢ Wenn die Person stirbt, wer sorgt dann für die Kinder?
> ➢ Was geschieht mit dem Nachlass der Person?
> ➢ Wer kommt für die Kosten der Beerdigung auf?

So unpassend diese Gedankengänge erscheinen mögen, wo es doch um das Ableben eines lieben Menschen geht, spielen sie im Unterbewusstsein der Leute, die der kranken Person nahestehen, oftmals eine wesentliche Rolle. Wer die einzelnen Begleitprobleme aufschreibt und sich rechtzeitig vorbereitet, wird am ehesten mental stark sein. Stelle dir vor, dass du dich nicht nur um die kranke Person vor deren Ableben kümmerst, sondern dir einen Zeitplan erstellst, der dir vorgibt, wann du dich um welche bürokratischen und organisatorischen Aspekte kümmerst: In diesem Fall wirst du nicht von den Pflichten nach dem Tod der Person übermannt, sondern hast alles vorab schrittweise organisiert und kannst nach dem Tod die Trauer in Ruhe verarbeiten. Du kannst langsam alles abarbeiten und langsam die Trauer verarbeiten, ohne durch bürokratische Aspekte o. Ä. gehetzt zu werden.

Das Ziel sollte bei großen Problemen und Sorgen in deinem Leben sein, diese zu beseitigen. Hierfür stellst du andere Ziele in deinem Leben erstmal zurück und entwickelst einen Plan zur Lösung der Probleme und Herausforderungen. Durch den Plan verhinderst du Aktionismus und löst die Probleme überlegt, weil du dir Zeit für deren Lösung nimmst. Trotz der Sorgen einfach dein bisheriges Leben fortzusetzen, gleicht einem Himmelfahrtskommando. Du wirst dann überfordert sein.

Einen weiteren Vorteil hat Langsamkeit außerdem noch: Es tritt womöglich ein Phänomen ein, das auf den Namen Serendipität hört. Serendipität bedeutet, Lösungen zu finden, ohne nach ihnen zu suchen. Das Leben ist dynamisch, wie du gelernt hast. Ständig ereignet sich etwas, was dein Leben entgegen aller Erwartungen zu beeinflussen vermag. Wenn du voreilig handelst und in deiner Verzweiflung unüberlegte Entscheidungen triffst, ist es möglich, dass dir Lösungen in den Schoß fallen, aber aufgrund deines zuvor voreiligen Handelns haben sich die Probleme angehäuft und es bringt dir weniger.

Auch Bernhard Moestl äußert in seinem Bestseller *Shaolin – Du musst nicht kämpfen, um zu siegen* (2008) die Vorteile von Langsamkeit und Gelassenheit. Beide Faktoren würden dazu beitragen, Fehler zu reduzieren und die Emotionen zu kontrollieren. Dadurch würden Probleme oder Sorgen nicht anwachsen, sondern sich am ehesten Lösungen ergeben.

### Zwischenfazit

*Gewöhne dir an, vor allem bei großen Sorgen langsam nach Lösungen zu suchen. Voreilige ungeduldige Handlungen vermehren meist die Probleme oder überfordern dich. Durch Überlegungen vor dem Handeln legst du ein nachhaltiges und erfolgsversprechendes Vorgehen fest.*

# MPS Schritt 4 in Kürze

> Es existieren kleine und große Sorgen. Die kleinen Sorgen sind oft die kleinen Missgeschicke und Peinlichkeiten, die uns im Leben ereilen und manchmal erstaunlich lange beschäftigen.

> Gewöhne dir an, Ereignisse, die zu kleinen Sorgen führen, als normalen Teil der menschlichen Unvollkommenheit zu sehen und sie ad acta zu legen. Oft kann man über diese Sorgen mit ein wenig zeitlichem Abstand lachen.

> Ernster wird es bei großen Sorgen, die Existenz, Gesundheit, Glück und andere elementare Bestandteile des Lebens bedrohen. Diese Sorgen müssen ernst genommen werden.

> Dem Problem der Ungewissheit bei den großen Sorgen begegnest du am besten, indem du mit den geschilderten Übungen deine Akzeptanz trainierst und deine Impulskontrolle optimierst.

> Wenn du bei großen Sorgen langsam nach Lösungen suchst, ist das Finden nachhaltiger und optimaler Lösungen wahrscheinlicher.

# MPS Schritt 5: Arbeite an deinen Skills!

Der fünfte und letzte Schritt der Arbeit an mentaler Stärke baut darauf auf, dass du deine individuellen Fähigkeiten förderst. Im sechsten Schritt erwartet dich ein leicht abweichendes Programm. Dort geht es nicht mehr darum, mentale Stärke aufzubauen, sondern optimal mit ihr umzugehen. Dieses Kapitel ist also gewissermaßen der letzte Schritt auf dem Weg **zu** mentaler Stärke. Mobilisiere also noch einmal deine volle Aufmerksamkeit, um die konsequente Arbeit an dir selbst fortzuführen. Bis hierhin hast du mit mentalen Faktoren gearbeitet, nun wechselst du in die Praxis: Indem du deine individuellen praktischen Fähigkeiten förderst, profitiert nämlich auch deine mentale Stärke. *Wie das funktioniert?*

Sagen wir mal, du spielst ein Instrument: Du hast mehrere Stücke eingeübt und spielst sie meistens fehlerfrei. Hier ist bereits ein Problem vorhanden, an dem du arbeiten kannst: *meistens.* Das Stück *meistens* fehlerfrei zu spielen, reicht für eine hundertprozentige Sicherheit nicht aus. Denn wenn du deinen Auftritt hast, kannst du dir nicht sicher sein, dass ausgerechnet zur Zeit des Auftritts die Fehler ausbleiben. Dies begünstigt Lampenfieber und Angst. Es erschwert deinen Fokus auf den gegenwärtigen Moment, ruft dir die strengen und erwartungsvollen Blicke der Menge vor Augen und nimmt dir die hundertprozentige Entschlossenheit bei einzelnen Bewegungen der Finger auf dem Klavier oder Atemzügen bei der Trompete.

Dein bisheriges Programm – um nochmal die Schrittfolge dieses Buches und den Zusammenhang der Schritte in Erinnerung zu rufen – hat dir geholfen, vor allem diese Aspekte zu optimieren:

> ➤ Leben in der Gegenwart trägt dazu bei, dass du das Publikum und dessen Erwartungen ausblendest, um dich besser auf einen korrekten Auftritt zu fokussieren.
> ➤ Wertschätzung dir selbst gegenüber fördert das Vertrauen in deine Fähigkeiten und den Umgang mit Fehlern. Sollte es dazu kommen, dass du während des Spiels unsicher wirst oder Fehler machst, dann kannst du damit wahrscheinlich besser umgehen.
> ➤ Durch Entschlossenheit vollziehst du dein Musikspiel mit mehr Zuversicht und Vertrauen in deine Fähigkeiten, sodass die Wahrscheinlichkeit für Fehler sinkt.
> ➤ Gelassenheit hilft dir, der zuschauenden Menge weniger Beachtung zu schenken und das Publikum nicht auf eine Art Podest zu stellen. Sie sind Menschen, die auch Fehler machen. Mit dieser Denkweise fühlst du dich weniger unter Druck gesetzt.

Das alles hilft. Aber wie wäre es, das Instrument und die Stücke so gut spielen zu können, dass du dich gar nicht mehr darauf konzentrieren musst? Stelle dir vor, du würdest solch ausgeprägte Fähigkeiten besitzen, dass du nebenbei beim Spiel dem Publikum zuzwinkern und aus dem Nähkästchen plaudern könntest – alles gleichzeitig, alles ohne Denkarbeit, Sorgen, Ängste, Zweifel, Mangel an Zuversicht oder sonst eine Regung von Hindernissen. Grund dafür sind deine Fähigkeiten, die so trainiert sind, dass sie sich nicht erschüttern lassen. Du kennst kein Scheitern, weil du die Dinge aus dem Effeff beherrschst.

# Über den Nutzen von Fähigkeiten

Möglichst umfassende Fähigkeiten sind in verschiedenen Kontexten ein Vorteil. Selbst dann, wenn du von Menschen nicht geachtet und gemobbt wirst, kann es dir helfen, sukzessive an der Verbesserung deiner Fähigkeiten zu arbeiten. Man nehme an, du würdest von anderen Menschen gemobbt und hättest den Wunsch, mehr mentale Stärke dagegen zu entwickeln: Mobbing ist in heutigen Zeiten kein klassisches Schüler- oder Angestelltenproblem mehr; falls es überhaupt mal auf diese Personengruppen beschränkt war. Heutzutage jedenfalls sind sogar Lehrer und Vorgesetzte nicht mehr vor Mobbing gefeit. Alles, was du bisher in diesem Buch gelernt hast, hilft dir, mit Mobbing besser klarzukommen. Deine Skills, die du in diesem Schritt trainierst, hinterlassen ihre eigene Marke: Sie fördern nämlich dein Ansehen in den Augen anderer, indem du deine Fähigkeiten verbesserst und den Leuten weniger Anhaltspunkte gibst, dich zu mobben. Bitte denke an dieser Stelle nicht, dass du am Mobbing schuldig wärst – keinesfalls! Es sollte zudem nicht dein Ziel sein, dich zu verändern, um anderen Menschen zu gefallen. Aber wenn die Chance besteht, sich zu verbessern und damit den wenigen niederträchtigen Argumenten fürs Mobbing komplett den Zahn zu ziehen, und – das ist jetzt das Wichtigste – sich das zugleich mit deinen Interessen und Zielen deckt, dann ergreife die Chance!

Grundsätzlich ist das Training deiner Fähigkeiten ein potenzielles Mittel gegen alles:

> ➤ Du kannst Kritiker und mobbende Personen verstummen lassen, indem du mit neuen oder erweiterten Qualitäten überzeugst.
> ➤ Zweifel, Ängste, Lampenfieber und andere Arten von Sorgen weichen der Gewissheit, dass du die Dinge durch deine Skills voll im Griff hast.

> Je mehr Fähigkeiten du perfektionierst, umso mehr Transferleistungen und Verknüpfungen kannst du erbringen, sodass du andere Dinge schneller lernst.
> Du gewinnst mehr Zuversicht in deine Stärken und erreichst deine Ziele mit höherer Wahrscheinlichkeit.
> Der Stresspegel sinkt, weil du Herausforderungen leichter bewältigst und dadurch Zeit für andere Dinge sparst.

Es gibt verschiedene Modelle vom Menschen. Von diesen Modellen wird in der Psychologie und Wirtschaft regelmäßig Gebrauch gemacht. Ein Modell, das in meinen Augen die heutigen Zeiten gut repräsentiert, ist das Human-Resource-Model, das den Menschen als einen Pool verschiedener Fähigkeiten und Fertigkeiten sieht. Allem voran in der Wirtschaft spielt dieses Modell eine große Rolle. Es hat dazu geführt, dass eine Menge an Motivationsmodellen entstanden ist, wie z. B. die Bedürfnispyramide nach Maslow, die bereits am Anfang dieses Buchs vorgestellt wurde. Das Ziel im Human-Resource-Model ist es, die individuellen Fähigkeiten und Fertigkeiten eines Menschen zu fördern und weiterzuentwickeln. Mit der Bedürfnispyramide nach Maslow ist erklärt, wieso:

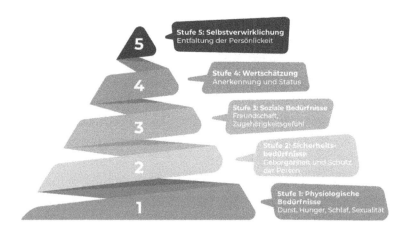

Die Befriedigung der Bedürfnisse erfolgt der Reihe nach von unten bis oben. Zunächst werden die physiologischen Bedürfnisse befriedigt, dann die Sicherheitsbedürfnisse, anschließend die sozialen Bedürfnisse und die Wertschätzung. Zu guter Letzt kommt das Bedürfnis, mit dem du dich in diesem Kapitel beschäftigst: der Ausbau deiner Fähigkeiten, die Entfaltung deiner Persönlichkeit und somit die Selbstverwirklichung. Die Bedeutung dessen, an den eigenen Fähigkeiten zu arbeiten, wird auch anhand der näheren Klassifizierung der Bedürfnisse deutlich: Die ersten vier Stufen gelten als Mangelbedürfnisse. Dies bedeutet, dass das Verlangen mit dem Maß der Befriedigung abnimmt. Erst, wenn die Bedürfnisse eine gewisse Zeit über nicht erfüllt wurden, kehren sie wieder. Anders aber bei der fünften Stufe und der Entwicklung der eigenen Fähigkeiten: Diese sind die Wachstumsbedürfnisse. Der Annahme nach werden diese nicht mit dem Ausmaß der Befriedigung gestillt, sondern nehmen zu. Darin spiegelt sich in dem Modell der Drang des Menschen nach ständiger Weiterentwicklung wider.

Du arbeitest in diesem Kapitel demnach nicht nur an mentaler Stärke. Dieses Kapitel ist eine Art Bindeglied zu deinem gesamten Leben. Es verknüpft mentale Stärke mit Selbstverwirklichung und verknüpft auch die Selbstverwirklichung mit dem menschlichen Streben nach mehr. Das Streben nach mehr führt wiederum zu mehr Sinn im Leben: egal in welcher Lage, egal in welchem Alter und egal in welchem Zusammenhang – langweilig wird dein Leben auf diesem Wege nie!

**Zwischenfazit**

*Die eigenen Fähigkeiten fortlaufend zu trainieren und sich neue Fähigkeiten anzueignen, trägt durch die Stärkung der Kompetenzen zu einer besseren mentalen Verfassung und mehr Widerstandskraft gegen Mobbing sowie andere negative Einflussfaktoren bei. Außerdem begünstigt die Arbeit an deinen Skills langfristig die Selbstverwirklichung.*

# Welche Fähigkeiten und Ressourcen brauchst du?

Als sehr ausführliche und in den vier vorigen Kapiteln präzise durchgearbeitete Vorlage für dieses Unterkapitel dient dir die Liste mit deinen Zielen. Du hast deine persönlichen Ziele präzise formuliert, untergliedert, priorisiert und sie gemäß deiner Möglichkeiten auf Umsetzbarkeit überprüft. Mit dieser Liste an Zielen prüfst du nun, welche Fähigkeiten und Ressourcen du brauchst. Die Fähigkeiten trainierst du oder eignest sie dir überhaupt erst an. Ressourcen hingegen beschaffst du dir. Es sind Mittel, die du kaufst, herstellst oder auf andere Weise in deinen Besitz bringst. Manchmal können bereits banale Ressourcen ziemlich viel bewegen.

**Meine Erfahrungen**

Als Kind in der Schule wurde ich gemobbt. Tatsächlich lag die Schuld nicht bei mir. Denn fürs Mobbing tragen diejenigen die Schuld, die es praktizieren. Aber ich gab diesen Personen mehrere Gründe, gemobbt zu werden: Meine Haare waren lang und da sie kein Volumen hatten und ich sonst keinen Wert auf mein Styling legte, hingen sie über meinen Augen.

Hinzu kam der Schnurrbart, der im Gesamtbild eher deplatziert wirkte. Meine Kleidung war weit und hing mir teilweise vom Körper. Es war zusammengewürfelte Mode. Jeder Mensch hat das Recht, diesen Style zu pflegen! Ich selbst würde keine Person deswegen mobben. Aber was einen mental starken Mensch auszeichnet, ist, sogar wenn ihm Unrecht widerfährt, in mehrere Richtungen zu überlegen. Ich persönlich überlegte mir damals, dass mir ein Wandel meines Styles guttun könnte. Insgeheim bewunderte ich die „cool gestylten" Mitschüler. Das Unrecht, das mir durch Mobbing widerfuhr, animierte mich zu einem Umdenken: Die Fähigkeit, mich optisch zu wandeln, hatte ich. Aber die Bereitschaft fehlte. An der Bereitschaft änderte sich etwas, als mir sogar meine wenigen Freunde sagten, ich solle mein Aussehen ändern. Im Kern scheint der „mobbende Mob" wohl irgendwo Recht gehabt zu haben . Genau das ist der wichtige Punkt, den du für dich mitnehmen kannst: Manchmal geben uns Personen, die uns Unrecht tun, das Richtige zu verstehen, nur eben auf eine unrichtige Weise. Wenn wir nach Rücksprache mit Menschen und unseren eigenen Überlegungen merken, dass sich im Unrecht Recht verbirgt, sollten wir durchaus die Fähigkeit haben, uns zu ändern.

Durch das gute Zureden meiner Freunde erlangte ich die Bereitschaft zur Änderung. Bei der Umsetzung halfen sie mir. Vor allem eine gute Freundin kannte sich in Sachen Mode aus. Meine Eltern gaben mir Geld für zwei Outfits; es war das vorgezogene Taschengeld. Nun hatte ich auch die Ressourcen zur Wandlung. Als ich am nächsten Tag zur Schule kam, wich das Mobbing sprachlosem Erstaunen und ersten „menschlichen" Tönen mir gegenüber. Die Leute entwickelten alle Interesse an meiner Wandlung. Was ich brauchte, war im Endeffekt banal: Ein Umfeld, das mir zunächst – wenn auch auf unangemessene Weise – Aufklärung brachte, die Rücksprache mit meinen Freunden, dazu eine Freundin mit Modekompetenzen und schließlich Styling sowie Kleidung als Ressourcen, um dem Mobbing ein Ende zu setzen.

Das alles sagt nicht aus, dass mein Handeln richtig war. Woran ich merkte, dass es korrekt war, mich der mobbenden Menge „zu beugen", war mein Gefühl im Nachhinein. Ich fühlte mich mit dem neuen Style wohler; so, wie ich wirklich war. Ich hatte mein Inneres nach außen gekehrt. Überlege daher genau, ob auch in deinem Fall die ungerechte Härte von anderen Personen nicht hin und wieder einen gerechtfertigten Kern hat.

Wenn das Geld vorhanden ist, sollte es manchmal zum Erwerb von Ressourcen eingesetzt werden, sofern diese eine realistische Chance bieten, die persönlichen Ziele zu erreichen. Dein Vorteil bei der Nutzung von Ressourcen zur Zielerreichung ist, dass diese schnell da sind: Sobald du die Gegenleistung oder Bezahlung erbracht hast, verfügst du über die gewünschten Ressourcen.

## *Übung 1*

Schreibe dir in deiner Liste auf, welche Ressourcen, die spätestens innerhalb einiger Tage verfügbar sind, dir beim Erreichen deiner Ziele helfen können. Notiere für jedes Ziel jeweils fünf Ressourcen, wie z. B. Kleidung für verbessertes Ansehen, Auto und/oder Fahrrad zur verbesserten Fortbewegung, Fachmagazine und Bücher für mehr Allgemeinwissen oder Fachkompetenz usw. Nachdem du die für dich plausiblen Ressourcen notiert hast, prüfst du, welche zeitnah realistisch sind und deinen Überzeugungen entsprechen.

Etwas, was für dich nicht finanzierbar ist oder was in deinen Augen nur mit geringer Wahrscheinlichkeit zum Erreichen deines Ziels beitragen würde, kannst du getrost von der Liste streichen.

Komplexer wird es bei den Fähigkeiten. Denn diese sind im Gegensatz zu den Ressourcen nicht sofort verfügbar. Hier bist du aufgerufen, längere Zeit zu üben und beständig zu arbeiten. Einige Fähigkeiten erfordern mehr Zeit und Training zur Optimierung, andere weniger. Bist du mit den jeweiligen Fähigkeiten vertraut, weil du sie schon länger ausübst, dann wirst du gut einschätzen können, wie viel Zeit und Übung es dich bis zur nächsten Steigerung kostet. Wenn du planst, dir neue Fähigkeiten anzueignen, dann schätze die erforderliche Zeit und Übung großzügig ein. Da du dich noch nicht allzu gut mit der jeweiligen Fähigkeit auskennst, solltest du dir Zeitpolster übriglassen. Damit du die Botschaft aus diesem Absatz verstehst, folgen zwei Beispiele:

I. Du übst einen Beruf oder ein Hobby bereits seit mehreren Jahren aus. Damit verbunden sind gewisse Fähigkeiten, die du jeden Tag einsetzt – ob es nun Skills beim Programmieren von Software, die über das Klavier schwebenden Finger oder deine geschickte Hand beim Zeichnen sind. Du kennst dich mit diesen Fähigkeiten gut aus und weißt, was der nächste Schritt zur Steigerung ist. Folglich kannst du die erforderliche Zeit und die notwendigen Übungen bis zur erfolgreichen Steigerung einschätzen. Es handelt sich um vertraute Fähigkeiten, bei denen du folgerichtig ganz genau planst.

II. Du möchtest eine neue Fähigkeit erwerben, die du bisher nicht praktiziert hast. Eventuell ist der Grund hierfür, dass du gemerkt hast, dass das, was du bisher gemacht hast, dir nicht liegt. Nun möchtest du alles neu machen und bist fest entschlossen. Oder du möchtest die Fähigkeit zur Erweiterung deiner bestehenden Kompetenzen erwerben. Diese und weitere Szenarien konfrontieren dich mit der Notwendigkeit, etwas komplett Neues zu erlernen. Im Gegensatz zur vertrauten Fähigkeit ist eine neue Fähigkeit mit mehr Tücken verbunden, weil du weniger Kenntnisse über sie hast und die erforderlichen Abläufe zum Verbessern dieser Fähigkeit schlecht einschätzen kannst. Wenn du beispielsweise noch nie Schlittschuh gelaufen bist, könnten Stolpersteine sein, dass du das falsche Equipment kaufst, kein Talent hast und daher mehr üben musst und/oder die Technik von Beginn an nicht optimal erlernst, sodass der gesamte spätere Fortschritt darunter leidet. Kalkuliere deswegen mit der dir verfügbaren Zeit großzügig, wenn du neue Fähigkeiten erlernst – lieber etwas mehr als zu wenig.

## Übung 2

Jetzt ist die Zeit dafür reif, dass du als Fortsetzung zu Übung 1 aus diesem Kapitel und Fortsetzung deiner Ziele-Liste aus den vorigen Kapiteln die Fähigkeiten ermittelst, die du dir zur Förderung deiner Ziele aneignen könntest. Die Fähigkeiten sollten stets deine Ziele fördern. Weil du deine Ziele in Bezug auf dein gesamtes Leben – Beruf, Hobby, Familie etc. – formuliert hast, ist sichergestellt, dass du durch die passenden Fähigkeiten nicht nur dein Berufsleben förderst, sondern dein Leben insgesamt. Setze die Prioritäten und Zeitfenster so, dass es zu deiner jetzigen Situation passt. Wenn du beispielsweise beruflich hohe Ambitionen hast, macht es Sinn, zuerst diesbezüglich neue Fähigkeiten zu erarbeiten und dich erst später Fähigkeiten zu widmen, die deine Hobbys fördern.

> **Zwischenfazit**
>
> *Erwerbe Ressourcen und arbeite an deinen Fähigkeiten, um deinen Wünschen und Zielen näher zu kommen. Bedenke bei alledem, dass Personen, die dich ungerecht behandeln, dir wichtige Hinweise zur Änderung geben können. Manchmal ist es vorteilhaft, auf vermeintlich unfaire Menschen zu hören, sofern deren Anreize sich mit den eigenen Wünschen und Zielen decken.*

# 3 Tipps zur Verbesserung deiner Fähigkeiten

Fähigkeiten zu trainieren, verlangt Organisation und Regelmäßigkeit. Durch die Organisation kannst du das Training stimmig in deinen Alltag eingliedern und die Prioritäten richtig setzen. Dank der Regelmäßigkeit kannst du immer auf dem Stand des letzten Trainings anfangen und darauf aufbauen. So gehst du Schritt für Schritt den geplanten Weg. Die folgenden 3 Tipps helfen dir bei den beiden Aspekten Organisation und Regelmäßigkeit, verdeutlichen aber auch die Wichtigkeit genauer und geduldiger Übung.

## Von Beginn an geduldig und genau üben

Dies ist ein Tipp, der an erster Stelle steht und dem vieles untergeordnet werden sollte. Lerne eine Sache von Beginn an absolut richtig! Was damit gemeint ist? Sei in den ersten Schritten nicht großzügig bei technischen oder anderen Arten von Fehlern. Messe den Fehlern die Aufmerksamkeit bei, die sie verdienen. Jeder Fehler verdient absolute Aufmerksamkeit, weil er die anderen Elemente negativ beeinflussen kann.

## Meine Erfahrungen

Ich hatte dieses Problem häufig, weil ich früher ungeduldig war. Schnelle Fortschritte waren mir wichtiger als eine solide Basis. So kam es in allem dazu, dass sich später Fehler einschlichen:

> ➤ Beim Klavierspielen wollte ich immer schnell spielen und die Leute mit meiner Geschwindigkeit beeindrucken. Da ich aber nie geduldig in langsamem Tempo lernte, wurden vor allem die schwierigen Passagen eines Stücks ungenau und unrhythmisch.

> ➤ Im Kraftsport wollte ich schnell Kraftsteigerungen erzielen, weswegen ich der Technik nur bedingt Bedeutung beimaß. So kam es, wie es kommen musste: Beim Bankdrücken waren meine Handgelenke leicht übergeknickt, bei Kniebeugen war der Rücken nie absolut gerade. Die Folge waren regelmäßige Verletzungen, nach denen ich wieder mit geringerem Gewicht neu einsteigen musste.

> ➤ Als ich mein erstes Buch schrieb, tat ich es überhastet und mit dem Ziel, es möglichst schnell zu veröffentlichen. Das Resultat war, dass es viele Rechtschreibfehler und umgangssprachliche Ausdrücke enthielt. Zudem waren inhaltsleere Absätze die Norm. Ich musste es komplett umschreiben.

Das hier ist das echte Leben. Während du auf Instagram die Möglichkeit hast, die Fehler aus dem Klavierstück zu löschen oder einen guten Ausschnitt aus einem schwachen Buch zu präsentieren und die Leute zu verzaubern, ist all das im realen Leben nicht machbar. Merke dir das, denn einige Personen lassen sich auch vom Zuspruch über die sozialen Medien blenden.

Im Idealfall machst du die Dinge langsam und akkurat von Beginn an. Genau deswegen ist es auch wichtig, dass du deine Ziele und dein Fähigkeitstraining zeitlich planst – damit du die Möglichkeit hast, langsam und geduldig zu trainieren! Alle Personen, die langsamer und geduldiger als ich trainiert haben, sind heute in den entsprechenden Fähigkeiten wesentlich weiter.

## 1-2-3-Methode nutzen

Die 1-2-3-Methode ist dir nicht nur eine Hilfe beim Training deiner Fähigkeiten, sondern generell bei der Planung von Zielen. In ihrem Buch *Richtig priorisieren* (2014) erklären die Autoren Proske et al., wie Aufgaben mittels dieser Methode in drei Prioritätsklassen eingeteilt werden können.

- ➢ Prio-1-Aufgaben
  - ○ Hauptaufgaben mit dem höchsten Stellenwert, die auf deine wichtigsten Ziele ausgerichtet sind
  - ○ sollten regelmäßig terminiert, rechtzeitig (d. h. ohne Zeitdruck) angepackt und mit hohem Qualitätsanspruch angegangen werden
- ➢ Prio-2-Aufgaben
  - ○ zählen nicht zu deinen wichtigsten Zielen und haben eine untergeordnete Wichtigkeit, aber deren Nichterledigung hätte trotzdem negative Folgen für dich
  - ○ sollten gezielt in den Tageslauf eingeplant, evtl. mit Hilfe anderer Personen, und im Vergleich zu den Prio-1-Aufgaben mit weitaus geringerem Zeitaufwand (20:80 %) durchgeführt werden
- ➢ Prio-3-Aufgaben
  - ○ unwichtigere Aufgaben, die evtl. auch aufgeschoben werden können und deren Nicht-Erledigung keine bis lediglich geringe negative Konsequenzen für dich hätte

o sollten u. a. nicht in der konzentrationsstärksten Zeit abgearbeitet und möglichst schnell erledigt werden

Quelle: Richtig priorisieren (2014)

## Eigenen Lehrplan erstellen

Der Lehrplan dient der Visualisierung und dem schriftlichen Festhalten deiner Pläne. Du erinnerst dich sicher an die Stundenpläne aus der Schule: Sechs Spalten und mehrere Zeilen. In jeder Zeile war ein Zeitfenster, in dem du in einem Fach unterrichtet wurdest. In den Spalten der obersten Reihe wurden die Wochentage Montag bis Freitag eingetragen, in den Reihen darunter in jeder Spalte passend zum Tag und zum jeweiligen Zeitfenster die Fächer. Dasselbe kannst du nun für dein Fähigkeitstraining machen, indem du die sieben Wochentage aufschreibst. Darunter kommen die Fähigkeiten, die du trainieren möchtest, und die Zeitfenster, die du dafür einplanst.

| Zeit | Mo | Di | Mi | Do | Fr | Sa | So |
|------|----|----|----|----|----|----|----|
| 10-12 Uhr | | | | | | | |
| 12-14 Uhr | | | | | | | |
| 14-16 Uhr | | | | | | | |
| ... | | | | | | | |

Diese Tabelle ist nur ein ungefährer Vorschlag. Sicher macht eine zeitliche Gliederung mit Zeitfenstern von weniger als zwei Stunden mehr Sinn. Der Vorteil eines solchen Plans ist, dass du dein gesamtes Leben darin planen und eintragen kannst. Wenn du jede Woche einen individuellen Plan machst, kannst du sogar variable Aktivitäten eintragen, wie z. B. den Hochzeitstag oder das Begleiten der Kinder zu einer Veranstaltung. So vernachlässigst du keinen Abschnitt deines Lebens.

# MPS Schritt 5 in Kürze

> ➢ Die eigenen Fähigkeiten zu stärken, bietet deiner mentalen Stärke eine solide Basis. Denn je besser du eine Tätigkeit kannst, umso weniger Anlass gibt es für negative Emotionen.
>
> ➢ Auch externe Faktoren, wie z. B. das Mobbing, kannst du durch die Verbesserung deiner Fähigkeiten – und manchmal sogar nur durch den Zukauf neuer Ressourcen, wie z. B. Kleidung – unterbinden oder mildern. Wichtig hierbei: Richte dich nur nach externen Faktoren als Impuls zur Änderung, wenn du darin einen Sinn erkennst, der dir zusagt und sich mit deinen Zielen sowie Wünschen deckt.
>
> ➢ Das Training und die Verbesserung der eigenen Fähigkeiten sind zudem im Hinblick auf die menschlichen Bedürfnisse wichtig. Du unterstützt nicht nur deine mentale Stärke, sondern arbeitest auch bis zu einem gewissen Grad an deiner Selbstverwirklichung.
>
> ➢ Beim Training sind Geduld und Genauigkeit das A und O. Je genauer du etwas lernst, umso weniger musst du im Nachhinein nachbessern.
>
> ➢ Bei der Organisation und Regelmäßigkeit des Trainings helfen dir die 1-2-3-Methode und visualisierte Lehr- bzw. Tagespläne.

# MPS Schritt 6:
# Weitermachen!

Dieses Buch soll dir mit seinen fünf Schritten Veränderung bringen. Veränderung kann in mehrere Richtungen erfolgen. Wünschenswert ist dabei stets eine positive Richtung. Womöglich magst du dir nun denken, dass die bisherigen Schritte zu mentaler Stärke dich nur in eine positive Richtung lenken können. Aber das ist falsch: Denn je mehr du schaffst und je stärker du wirst, umso realistischer wird eine Nebenwirkung. Es geht um Überheblichkeit; Arroganz, Ignoranz, Schadenfreude und weitere Einstellungen können sich bei dir etablieren, je stärker und überlegener du wirst. Werte diesen Hinweis bitte nicht als persönliche Attacke. Es handelt sich bei dem Risiko zur Überheblichkeit um einen Faktor, von dem alle Menschen betroffen sein können.

## Meine Erfahrungen

Auch ich durfte bereits meine Erfahrungen damit machen, wie es ist, überheblich zu werden. Wie in der Einleitung angekündigt, spielte sich mein Werdegang zur mentalen Stärke genauso wie in diesem Buch ab: Erst erlangte ich die mentale Stärke ungefähr anhand der ersten fünf Schritte. Dann war ich glücklich und stark. Ich wurde leider überheblich. Menschen, die einzelne Ziele nicht erreichten, verspottete ich. Zudem markierte ich immer die starke Person, die sich über ihre Emotionen und den inneren Schweinehund hinwegsetzen konnte. Weil ich parallel hart arbeitete, konnte allerdings nichts meine Überheblichkeit ausbremsen. Die Leute hielten trotz meines Charakters zu mir; womöglich deswegen, weil sie noch das frühere Gute in mir sahen. Erst als ich einer Macht gegenüberstand, die mir neu und unerreichbar war, änderte sich mein Denken. Diese Macht war die Gesundheit. Ich erlitt eine Krankheit, die ehrlich gesagt gar nicht so schlimm war. Aber sie war lästig und die Ärzte wussten nicht, was es war. Teilweise machte es mich rasend. Als ich abends im Bett lag oder auf meinem Sofa saß, dachte ich nach. Ich beschloss, einzelne Dinge zu ändern. Irgendwann war meine Krankheit – oder besser gesagt: die ominösen Beschwerden – wieder fort. Ich hatte aus der Phase gelernt. Es gibt immer wieder einen Weg nach unten ...

Damit bei dir dieser Weg nach unten so unwahrscheinlich wie nur möglich wird, ist es wichtig, dass du bodenständig bleibst. Mit anderen Menschen die Erfolge zu teilen, zusammenzuarbeiten und friedlich zusammenzuleben, ist wichtiger Balsam für die Seele. Dieses Kapitel vermittelt dir ohne Übungen einige Theorien und Lektionen, die du dir vor allem bei zunehmendem Erfolg vor Augen führen solltest, um immer zu verstehen, dass Stärke und Erfolg kein dauerhaftes Geschenk, sondern vergänglich sind. Zugleich ist genau das ein letztes wichtiges Glied mentaler Stärke: mit der neu gewonnenen Stärke und dem Erfolg umgehen zu können.

## Lektion 1: Sei deinen Feinden gegenüber wohlgesonnen und respektvoll.

Was ist überhaupt ein Feind? Da hat wohl jede Person ihre eigene Meinung, denn es ist maßgeblich eine Frage der eigenen Einstellung. Während die einen eine Person als Feind sehen, die ständig hinter ihrem Rücken Negatives über sie erzählt, sehen die anderen dies als eine Sache an, die im

Leben normal ist. Denn es wird immer Personen geben, die einem nicht wohlgesonnen sind.

Genau um solche Feindschaften soll es in dieser ersten Lektion gehen: Solange eine Person nicht tatkräftige Schritte gegen dich unternimmt, die dein berufliches, familiäres oder gesundheitliches Wohlergehen gefährden, gibt es keinen Grund, sie als einen ernsten Feind zu betrachten. Meistens handelt es sich um Personen, die in ihrem eigenen Leben Probleme haben oder schwach sind und dies zu kaschieren versuchen. Also gehen sie zur Attacke über. Vor allem mit zunehmender mentaler Stärke und steigendem Erfolg in deinen Lebensbereichen werden dir Personen begegnen, die dir nicht wohlgesonnen sind. Solange sie dir nicht akut-gefährdend schaden, sondern sich die Handlungen auf negatives Gerede und kleine Streiche beschränken, positionierst du dich am besten wohlgesonnen diesen Personen gegenüber. So hast du die Chance, deine Feinde zu verändern. Denn diese Personen, die eventuell in ihrem Leben wenig Güte erfahren haben, könnten durch dein wohlgesonnenes Verhalten zum Umdenken bewegt werden.

Wichtig ist die respektvolle und wohlgesonnene Positionierung deinem Feind gegenüber vor allem deswegen, um nicht durch Pech selbst in die Schusslinie zu geraten. Was wäre, wenn die Anfeindungen deines Kontrahenten bei der Arbeit unbemerkt blieben, aber deine Konter nicht? Dann würdest du Abmahnungen und ein verschlechtertes Ansehen riskieren. Zudem wirkt sich eine feindselige Gesinnung womöglich negativ auf dein Unterbewusstsein aus: Du fühlst dich tief in dir schlecht, weil du dich auf das Niveau deines Feindes herablässt. Dies beeinflusst deine Handlungen negativ und sorgt für eine psychische Belastung.

Sei nicht zurückhaltend und mache dich nicht zum Opfer, aber verzichte auf unnötige Aktionen und Worte gegen deine

Feinde. Die mentale Stärke hierfür hast du dank der erlernten Impulskontrolle und dem Gegenwartsprinzip.

## Lektion 2: Vergiss nie, wo du herkommst.

Wo du herkommst – damit ist deine frühere (schwierigere) Situation ohne mentale Stärke gemeint. Vor diesem Buch und den damit verbundenen Aktivitäten, Lehren sowie Erfahrungen warst du in einer anderen Lage als jetzt. Es besteht die Hoffnung, dass du stärker geworden bist. Stärke führt zu neuen Möglichkeiten und Perspektiven. Nimmst du diese wahr, dann nimmt dein Erfolg mit höchster Wahrscheinlichkeit zu. Damit einher geht eine Gefahr: Du könntest abheben.

Erfolg hat die Fähigkeit, zu blenden. Diese Fähigkeit kommt nicht vom Erfolg selbst, sondern aus deinem tiefsten Inneren. Wenn du dich nicht regelmäßig in die Lage zurückversetzt, in der du zuvor warst, ist es durchaus möglich, dass du mit der Zeit überheblich wirst. Übe dich daher in Demut und akzeptiere, dass du einige Sachen kannst und andere Sachen gleichzeitig nicht. Rufe dir vor Augen, dass es immer noch einige Punkte an dir gibt, an denen du arbeiten kannst. Und vor allem: *Merke dir, dass es immer Sachen geben wird, an denen du nichts ändern kannst.* Sieh deine Fähigkeiten immer als verbesserungswürdig an und erkenne deine Grenzen. Dann rückst du der Demut und der Bescheidenheit näher, was wesentlich ist, damit du am Boden bleibst und nicht abhebst. Vermeide zudem Urteile über andere Personen, denn diese haben mit ganz eigenen Problemen und Herausforderungen zu kämpfen. Denke zurück an dich und begreife, dass grundsätzlich jede Person erfolgreich werden kann. Baue die Leute in deinem Umfeld eher auf als sie niederzumachen – so wirst du mit deiner eigenen Vergangenheit und dem harten Weg zum Erfolg konfrontiert.

## Lektion 3: Geben und Nehmen sind beide notwendig.

Was ist Reichtum wert, wenn er nur verwahrt wird? Egal, ob du erfolg*reich* bist, reich an Geld oder reich an Liebe: Nicht eigesetzter Reichtum hat einen geringen bis gar keinen Wert. Stellen wir uns mal vor, dass du eine Person mit ausgeprägten sozialen Fähigkeiten bist und außerdem für eine feste Beziehung oder Ehe alle Qualitäten mitbringst, die man haben kann. Du bist treu, hast reichlich Zeit, denkst an Hochzeitstage und Geburtstage, liebst Kinder. Du bist reich an Liebe. Aber du schließt dich daheim ein, weil du einen Verlust erlitten hast oder dir Angst machst, von anderen Menschen nicht dieselbe Liebe zu erfahren. Dramatisch ist ein solches Szenario, bei dem du reich an Liebe bist, aber diese Liebe nicht teilst. Gleiches gilt für Geld, Erfolg und andere Komponenten des Lebens: Wenn du nicht teilst, kannst du es nur schwer genießen. Dies führt zur Erkenntnis, dass du Geld hin und wieder – natürlich nur vernünftig – ausgeben solltest, wenn du deinen Reichtum fühlen willst. Liebe solltest du anderen entgegenbringen, um sie zu erfahren. Erfolg ist für dich selbst zwar beflügelnd, aber erst unter dem Zuspruch und der Wertschätzung anderer merkst du, wie erfolgreich du tatsächlich bist.

Das Leben ist ein Geben und Nehmen. Du gibst etwas – sei es auch etwas Immaterielles, wie z. B. deine Zuneigung oder dein Verständnis – und erhältst dafür etwas anderes. Geben muss also nicht zwingend auf materieller Ebene stattfinden, sondern kann auch immateriell erfolgen. Du hast mehrere Chancen, Menschen das zu geben, was sie brauchen. Höre auf die Wünsche und Bedürfnisse von Menschen und gib das, was dir möglich ist und angemessen erscheint. Gehe auf Menschen mit deinen „Reichtümern" zu und lasse sie teilhaben. So erarbeitest du dir am ehesten eine Position, von der aus Menschen dir dankbar und wohlgesonnen sind.

## Lektion 4: Nutze Macht, um mit anderen zusammen Ziele zu erreichen.

Wenn du mentale Stärke erreichst, erlangst du zugleich die Kompetenz, andere Menschen zu führen. Dabei ist das „Führen" weitgefasst: Einerseits kannst du beruflich aufsteigen und Abteilungsleiter oder Geschäftsführer werden. Andererseits ist es denkbar, dass du beruflich keine besonderen Ziele erreichst, dafür aber ein Umfeld mit Menschen aufbaust, die dich als eine Führungsperson empfinden. Ein Anführer zeichnet sich nämlich nicht zwingend durch eine berufliche Position oder einen besonderen Werdegang aus. Auch muss er privat nicht besonders viel erreicht haben. Was einen Anführer auszeichnet, ist dessen Ausstrahlung. Diese Ausstrahlung basiert darauf, dass du den Glauben an dich selbst und an deine Pläne hast. Sie verleiht dir Unangreifbarkeit, die bei anderen Personen Eindruck hinterlässt.

Charisma ist hierbei ein wichtiges Stichwort. Wenn du bei Personen die Ausstrahlung mentaler Stärke hinterlässt, hast du die Chance, mit ihnen gemeinsam Ziele zu erreichen. Sie folgen dir gern, sofern sich deine Ziele mit ihren Zielen decken. Du hast dadurch die Möglichkeit, die Beziehungen zu deinem Umfeld zu vertiefen und schneller voranzukommen. Gemeinsam erreicht man die Ziele schneller.

> **Beispiel**
>
> Du hast eine faszinierende Idee für ein Business und gründest ein Unternehmen. Mit der Zeit soll es wachsen. Im ersten Fall fällt es dir schwer, dich von Aufgabenbereichen zu trennen und sie an andere Personen zu delegieren. Weil du alles allein machst, fehlt dir die Zeit, dich ums Wachstum deines Unternehmens zu kümmern. Im zweiten Fall holst du dir die Hilfe anderer

Menschen und steuerst sie als Führungsperson klug, indem du ihnen die Möglichkeit gibst, eigene Ideen einzubringen und diese mit deinen Ideen zusammen- führst. Nachdem du die finale Entscheidung getroffen hast, setzen die Personen deine Wünsche gern in die Tat um, da sie selbstständig agieren dürfen und du ihnen nicht ins Handwerk pfuscht. In diesem Fall steht dem Wachstum deines Unternehmens nichts im Wege.

# Schlusswort

Das Entwickeln und Erweitern mentaler Stärke ist für jede Person in jeder Lebenslage vorteilhaft. Vor allem MPS Schritt 6 hat gezeigt, dass zu mentaler Stärke nicht nur dazugehört, sie zu haben. Es ist ebenso notwendig, mit ihr umgehen zu können. Ansonsten drohen Überheblichkeit, Arroganz und mit der Zeit als logische Konsequenz der Verlust dessen, was du dir erarbeitet hast. Von daher ist dieses Buch eine perfekte Dauerlektüre im Leben. Lies es regelmäßig – vielleicht jedes Jahr, alle zwei Jahre oder alle fünf Jahre. Es wird mit zeitlichem Abstand immer Dinge geben, an denen du mithilfe der Schritte und Lehren in diesem Buch noch arbeiten können wirst.

Ich habe viele Bücher gelesen und viele Erlebnisse gehabt auf meinem Weg zu einer mental stärkeren Persönlichkeit. Dabei habe ich von einer Sache Gebrauch gemacht, die leider kein Autor direkt empfohlen hat: Ich habe jedes Buch mehrmals gelesen und tue dies auch heute noch. Wieso? Ganz einfach: Weil ich es mir ersparen will, schlechte Dinge zu *erleben*, und weil ich sie lernen oder mich wieder an sie erinnern will. Handhabe es daher am besten genauso. Mein Vater war einst in Thailand und hat von seiner Reise erzählt. Dabei habe ich mir eine Sache besonders gemerkt. Ich weiß nicht, wieso, aber die Erzählung von seinem Besuch in einem Tempel hat bei mir bleibenden Eindruck hinterlassen. Vielleicht wusste ein Teil von mir schon damals, dass es für mein Leben wichtige Worte sein würden. Er erzählte, dass es dort Brauch war, sich hinzuknien und mehrmals in seinen Gedanken auszusprechen, was man werden möchte oder machen möchte. Man sollte sich sagen, was besser werden sollte. Mehrere hunderte Male sollte man es regelmäßig tun, um sich später daran zu erinnern.

Das, was mein Vater erzählte und ich mit dem wiederholten Lesen mehrerer Bücher tat, ist das, was ein weiterer Unterschied zwischen mental starken und mental schwachen Menschen ist: die Fähigkeit, durch Erzählungen, Affirmationen und aus dem Leben anderer zu lernen. Du hast die Wahl, aus den Fehlern anderer zu lernen oder aus deinen eigenen. Es bietet sich an, aus den Fehlern anderer zu lernen. Lies dieses und weitere hilfreiche Bücher also mehrmals, um die Inhalte zu verinnerlichen und sich an sie zu erinnern. Höre anderen Menschen zu, wenn sie dir etwas erzählen und dich warnen. Überdenke, ob es nicht besser wäre, sich zu zügeln. All dies wird die Wahrscheinlichkeit für gröbere Fehler deinerseits langfristig reduzieren und deine mit der Hilfe dieses Buches errungene mentale Stärke aufrechterhalten.

Arbeite beständig daran, das, was du mithilfe dieses Ratgebers gewonnen hast, zu vertiefen und zu behalten. Denn mit der mentalen Stärke ist es wie mit vielem anderen im Leben: Sie aufzubauen, ist schwierige und langwierige Arbeit. Sie zu verlieren, kann oftmals bereits in kürzester Zeit geschehen. Es reicht eine falsche Entscheidung, bei der du gegen die erlernten Prinzipien verstößt. Oder du hast dir ein Ziel zu viel gesetzt, was deine Zielsetzungen und Prioritäten in ein Chaos stürzt.

Schätze daher deine mentale Stärke und tue alles, um sie zu bewahren!

# Verweise

Heller, J.: *Resilienz – 7 Schlüssel für mehr innere Stärke.* München: Gräfe und Unzer Verlag GmbH, 2013.

Janson, M.: *Resilienz trainieren – Wie Sie innere Blockaden lösen, Ihre psychische Widerstandskraft stärken und stressfrei alle Krisen überstehen!.* 2020.

Lorenz, S.: *Resilienz entwickeln: „Ich schaffe das!" – Wie du deine innere Stärke entfaltest, um an Stress, Krisen und Schicksalsschlägen nicht zu zerbrechen.* 2020.

Moestl, B.: *Shaolin – Du musst nicht kämpfen, um zu siegen.* München: Droemer Knaur. 2008.

Proske, H.: Reichert, J. F.; Reiff, E.: *Richtig priorisieren.* Freiburg: Haufe-Lexware GmbH & Co. KG, 2014.

Späth, Dr. T.; Bao, S. Y.: *Shaolin – Das Geheimnis der inneren Stärke.* München: Gräfe und UNZER Verlag GmbH, 2011.

Stangl, W.: Online Lexikon für Psychologie und Pädagogik, 2020.

Webb, R.; Pedersen, C.; Mok, P.: *Adverse Outcomes to Early Middle Age Linked With Childhood Residential Mobility.* American Journal of Preventive Medicine, 2016.

www.ingramcontent.com/pod-product-compliance
Ingram Content Group UK Ltd.
Pitfield, Milton Keynes, MK11 3LW, UK
UKHW030640170225
4623UKWH00004B/8